劉福春·李怡 主編

民國文學珍稀文獻集成

第三輯

新詩舊集影印叢編　第107冊

【馮至卷】

昨日之歌

北新書局 1927 年 4 月初版

馮至　著

北遊及其他

北平：沉鐘社 1929 年 8 月出版

馮至 著

花木蘭文化事業有限公司

國家圖書館出版品預行編目資料

昨日之歌／北遊及其他／馮至　著 — 初版 — 新北市：花木蘭文化事業有限公司，2021〔民 110〕

154 面／124 面；19×26 公分

（民國文學珍稀文獻集成・第三輯・新詩舊集影印叢編　第 107 冊）

ISBN 978-986-518-473-5（套書精裝）

831.8　　　10010193

ISBN-978-986-518-473-5

民國文學珍稀文獻集成・第三輯・新詩舊集影印叢編（86-120 冊）

第 107 冊

昨日之歌
北遊及其他

著　者　馮　至

主　編　劉福春、李怡

企　劃　四川大學中國詩歌研究院

四川大學大文學學派

總編輯　杜潔祥

副總編輯　楊嘉樂

編　輯　許郁翎、張雅淋、潘玟靜　美術編輯　陳逸婷

出　版　花木蘭文化事業有限公司

社　長　高小娟

聯絡地址　235 新北市中和區中安街七二號十三樓

電話：02-2923-1455／傳真：02-2923-1452

網　址　http://www.huamulan.tw 信箱 service@huamulans.com

印　刷　普羅文化出版廣告事業

初　版　2021 年 8 月

定　價　第三輯 86-120 冊（精裝）新台幣 88,000 元

昨日之歌

馮至 著

馮至（1905 ～1993），原名馮承植，生於河北涿州。

北新書局一九二七年四月初版。原書三十二開。

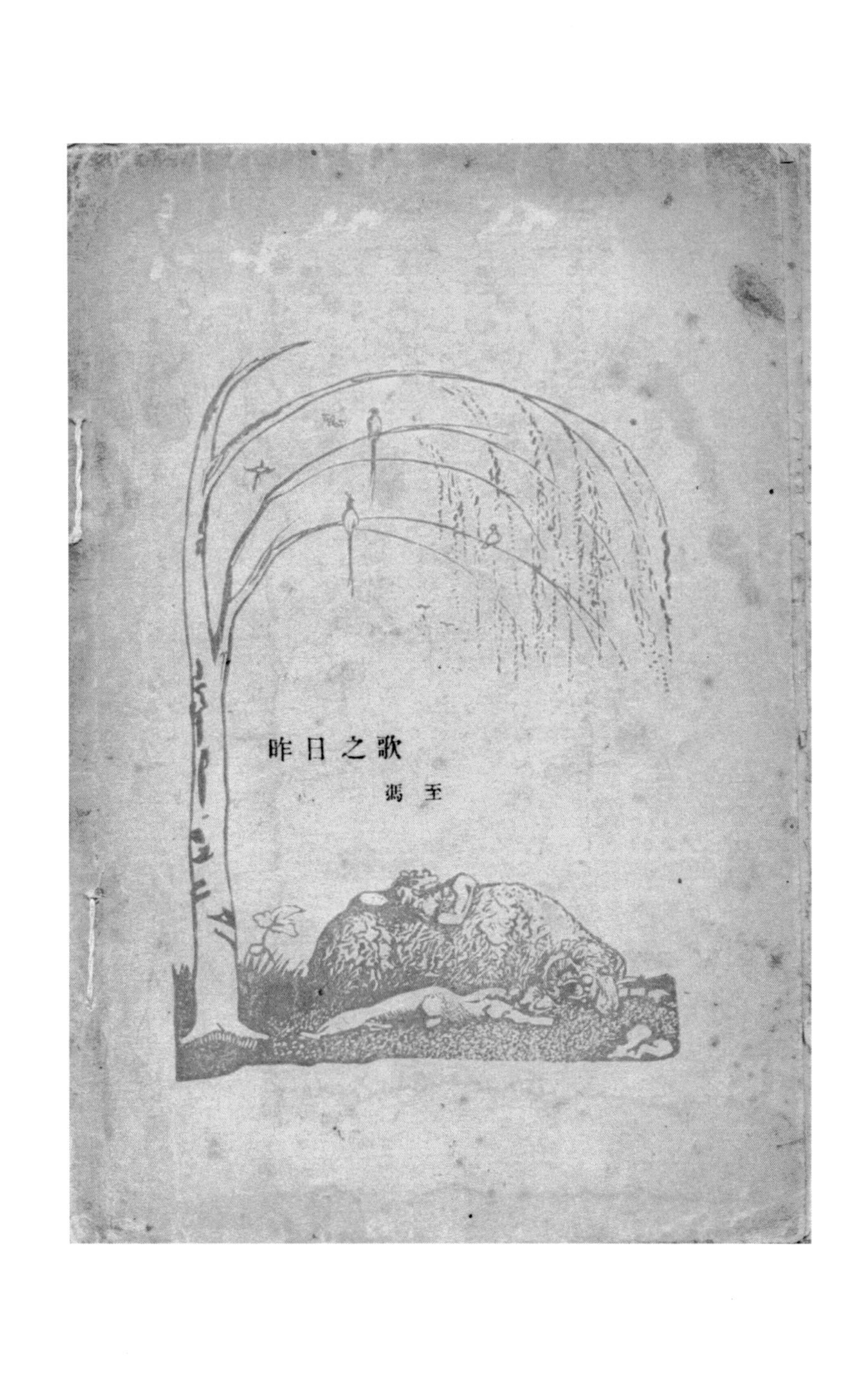
昨日之歌
馮至

昨日之歌

1927年日4月1日初版

印1——1500册

實價四角

北新書局印行

沉鐘叢刊(2)
昨日之歌

本書封面畫係取自 W. Blake 畫集，由馬隅卿君重攝；Fly-page 及 Title-page 上的插畫係司徒喬君作：均此誌謝！

EIGNES LEID UND FREMDE KLAGE,

EINST IST ALLES SCHOENE SAGE.

——R. DEHMEL.

(MCMXXVI)

卷　上

1

綠衣人

一個綠衣的郵夫,
低着頭兒走路;
—— 也有時看看路旁.
他的面貌很平常,
大半安於他的生活,
不帶着一點悲傷.
誰來注意他
日日的來來往往!
但他小小的手中
拿了些夢中人的運命.
當他正在敲這個人的門,
誰又留神或想——
"這個人可怕的時候到了!"

——1921

2

問

他問他的至愛人,"你愛我嗎"
她說,"我是愛你的."
他們身旁的玫瑰盛開,他便摘下一朶,掛在她的
胸前了.

第二天他又問他的至愛人,"你爲什麼愛我?"
她說,"我爲愛你而愛你,人間只有你是我所愛
的."
他們身旁的玫瑰尚未凋謝,他又摘下一朶,掛在
她的胸前了.

第

3

第三天他問他的至愛人,"你怎樣的愛我?"
她說,"我是愛你的,無條件的愛你——與愛我
　　的生命一樣."
他們身旁的玫瑰只剩下幾朵了,他還摘下一朵,
　　掛在她的胸前.

最後他問他的至愛人,"你愛我,要怎樣?"
她不能回答.——被快樂隱去的淚,一起流出來
　　了!
他們身旁的玫瑰,一朵也沒有了!

——1922暮春.

4

滿天星光

我把這滿天的星光,

聚攏在我的懷裏,

把牠們當作顆顆的淚珠,

用情絲細細地穿起——

穿成了一件外氅

披在愛人的身上!

還有那西邊的

彎彎的月兒,

也慢慢取了下來,

去梳她那溫柔的頭髮.

我

5

我們讚歎着古代的仙人,

我們吹着簫,

我們吹着笙,

我們的音調密吻,

我們御風而行,

我們到了天空,

天的最上層——

將外毛打開,

另把這滿天的星斗安排!

重把笙簫合奏,

超脫了世上的榮華,

同那些浮淺的悲哀!

——1923.

6

一顆明珠

我有一顆明珠,
深深藏在懷裏;
恐怕牠光芒太露,
用重重淚膜蒙起.

我這顆明珠,
是人們掠奪之餘:
牠的青色光焰,
只照我心裏酸悽!

7

不能容忍了

我實在不能容忍了!

我把我的胸懷剖開,

取出血紅的心兒,

捧着牠到了人叢處.

有的含着譏誚走遠了,

有的含着畏懼走遠了;

只剩下我一個人,

我只得也緩緩地走去!

到了十幾處,

十幾處都是如此——

抱了心兒暫時休息着,

人們又在那邊聚集着.

8

夜深了

夜深了,神啊——
引我到那個地方去吧!
那裏無人來往,
只有一朶花兒哭泣.

夜深了,神啊——
引我到那個地方去吧!
更蒼白的月光,
照着花兒孤寂.

9

夜深了,神啊——
引我到那個地方去吧!
那裏是怎樣的悽涼,
但花瓣兒有些溫暖的呼吸.

夜深了,神啊——
引我到那個地方去吧!
我要狂吻那柔弱的花瓣,
在花兒身邊長息!

暮雨

醒後恰黃昏,

窗外雨聲淅淅——

啊,初春的暮雨!

將我的心兒掩埋了,

眼前又是一春的

落花飛絮……

11

樓上

——天上啊,人間!

我望遍

東西南北,

這般無意緒——

下去吧,

我又如何下去?

天上沉寂,

人間紛紜——

這裏又怎能供我

長久徘徊!

悵惘,孤獨,

終於歸向何處?

雲

雲含愁,

水輕縐——

我若知牠們的深意,

就該投入水裏,

或跑到西山,

入了雲深處!

身寒,心戰!

風,吹我如何下去?

展開書,

書裏夾着黃花,——

我爲了我的命運吻牠,

我爲了牠的命運哭泣.

13

歸去

燦亂的銀花,
在晴朗的天空飄散;
黃金的陽光,
把屋頂樹枝染遍

馴美的白鴿兒
來自神的身旁,
牠們引示我翹望着
迷濛的故鄉.

汪

14

"汪洋的大海，
濃鬱的森林——
故鄉的朋友，
俱在彼處歌吟."

一切都在春暖的
被裏安眠，
我但願身如
蝴蝶的翩翩！

15

歌女

夢見一個歌女,

抱着琵琶歌唱;

她的哀怨之音,

睡眠在四條弦上.

烏黑的頭髮

烘托出憂鬱的面貌,

身着雪白衣裳,

雙頰微微若笑.

盡是些浪漫的歌詞,

她的歌聲靡靡——

'窗外雨正淒淒,

兒女對燈啼泣!"

16

最後我忍不住了,
倒在她的懷裏,
握住她的手兒,
她再也唱不下去.

她滴下一顆淚珠,
滴在我的口內,
我鄭重地把牠嚥了,
說不出的辛酸滋味!

17

小艇

心湖的
蘆葦深處,
一個採菱的
小艇停泊;

牠的主人,
一去無音信——
風風雨雨,
小小的船蓬將折!

狂風中

無邊的星海,
要如狂風一般激蕩!
幾萬萬顆的星球,
一齊的沉淪到底!

剩下了牛女二星,
在情淚漬成的天河,
划起輕妙的小艇,
唱着哀婉的情歌.

願有一位女神,
急把快要毀滅的星球,
一瓢瓢,用着天河水,
另洗出一種光明!

19

殘餘的酒

上帝給我們,
只這一杯酒啊!”
這麼一杯酒,
我又不知愛惜——
走過一個姑娘,
我就捧着給她喝;
她還不曾看見,
酒却洒了許多!
我只好加水吧,
不知加了多少次了!

可

可憐我這一杯酒啊!
一杯酒的殘餘呀!
那些處女的眉頭,
是怎樣一杯濃酒的充溢!
我實在有些害羞了,
我明知我的酒沒有一些酒力了,
—— 我還是不能不
把這杯淡淡的水酒,
送到她們絳紅的唇邊,
請她們嘗一嘗啊!

21

懷——

若是我眼皮微微合上，
啊！你這藍帽的女郎——

你旣穿着灰色衣裙，
爲何又戴着那藍色的草帽？
惹得我的夢魂兒，
儘在你的身邊纏繞！

風聲中的雨聲，
這般斷斷續續——
紛紛亂亂的人間，
你今宵睡在何處？

啊，在少女幽靜甜美的睡中，
可能有路上不相識的青年入夢！

22

追憶

日光滿窗了!
你還微閉着眼,
躺在床上,
作什麼追憶?

''啊,我昨夜所想的,
那甜美的境地——
在最甜美的時候,
我昏昏睡去了!''

初夏雜句

1.

‘‘紅的,紅的,紅櫻桃,”

‘‘青的,青的,青杏子,”——

於今都哪裏去了

那半月前的飛絮?

2.

最怕聽,蒼蠅同蜜蜂,

在日光中的歌調,

最怕聽的是,萬籟聲中

隱約約,夏天到了!

3.

懨懨地又度了一春,

春已盡,自家還不知覺.

夜雨瀟瀟,

唱着“所羅門”的牧歌;

——可憐的牧童啊,就是羊兒

都尋,尋也尋不着了!

那

4.

那晚的一鈎新月,

一直的被我望入

西北的濃雲中——

等了不知多少時,

牠却終於出不來,雲幕的重重!

5.

並不曾那樣像去年,

聽取燕子的呢呢,

戴勝鳥的啼聲,

也不知盡向何處去?

6.

偶然隔着樓窗,

望那夕陽染遍的楊柳——

唱多少遍古代的詩詞,

無奈柳陰下沒有河流,

泛不來採蓮的小舟!

25

別K.

1.

好一個悲壯化
—— 悲壯的別離呀!
滿城的急風驟雨
都聚在車站——
車站的送別人
送別人的心頭了!

雄渾的風雨聲中,
哪容人低低地
敘些娓婉的別語?
K.你自望東,
我自望西,——
莫回顧,從此小別了!

讚

2.

讚頌狂風暴雨,

因為狂風暴雨後,

才有這般清涼的世界!

—— 我失掉了什麼?

啊,繁瑣的車輪軋軋聲,

重喚起我纏綿的情緒!

夢一般,寂靜地過去了,

心裏沒有悲傷,

眼中沒有清淚:

K.仔細地餐——

餐這比什麼都甜,

比一切都苦的美味吧!

27

窗外

老槐的
英雄姿態!
金綠的葉兒,
隨着微風搖擺,

無數黑衣的
燕子飛翔——
似誰家吹玉笛,
吹得聲音嘹喨!

青

28

青天只有白雲,
白雲沉思無語,
雀鳥兒不住地
在何處啣啣?

灰色屋頂,
也披滿夕陽,
瓦櫳上漬着的石灰,
正如耶穌的白衣跪像!

29

瞽者的暗示

黃昏以後了,
我在這深深的
深深的巷子裏,
尋找我的遺失.

來了一個瞽者,
彈着哀怨的三弦,
望沒有盡頭的
暗森森的巷中走去!

宴席上

(雙十節的夜宴,聽友人c.君叙
他今夏在西湖瑪瑙寺中的夢
境,同時又談及遠方朋友的運
命遭逢;成此詩,寄給上海的c.
君及印度洋上的L.君.)

朧燭更換了三遍了,
怎麼還不天明呢?
窗紙既不發白,
鷄聲也是遼遠呀.

這是我們的廚娘,
備下了這席聖宴,
有厚味的菜,
有喝不盡的美酒.

31

妯頻頻對我們叙說,
妯如何善於烹飪——
妯說,甜的味兒如何淺,
辛酸的,是怎樣深沉.

我們都靜默無言,
更含了幾分醉意.
窗外不知什麼聲響,
可是風吹落葉沙沙?

還沒有到了深秋,
哪會有許多落葉——
原是彈人心曲的姑娘,
輕輕地推門而入.

在

在這樣的席上,
她是十分可愛的——
她的雙頰蒼白,
唇上點染着一些紅色,

她抱着什麽樂器,
我也無從認識.
只那團如雲的烏髮,
却鬅鬙着幾點溫柔.

她將她的樂器,
慢慢地彈動了——
她輕緩的歌聲,
正如她衣衫的淸淡.

他

33

''他愁苦了他的青春,
只想換妯的換不來的心.
妯最後把心捧到他的面前,
可是他說,他已經作了僧人!"

''酒變成淚,淚又變成酒,
何處尋,那尋不到的眞情!
情風雨陰霾之夜,
他孤另另地徘徊荒徑!''

''終於是兩手空空地
可憐他東西南北的狂奔,
又到了茫茫海外,可容他
寂對河山叩國魂'!"

妯

妯唱完了這麼三個曲子,
席上的靜默更可怕了.
我滿滿斟了一杯酒,
送到妯的唇邊.

妯接了我的酒杯,
把樂器放在一旁;
一杯酒都被她飲盡了,
樂器的餘音還在微微地響!

35

殘年

朋友啊,

酒冷,茶殘!

我們默默,

噤若寒蟬.

無可詛咒,

無可讚美:

百般的花朵,

一樣的枯萎!

我們默默,

噤若寒蟬——

朋友啊,

酒冷,茶殘!

你——

一天我委委曲曲地
向着你的明眸泣告——
人間是怎樣的無情,
我感受的盡是苦惱.

你殷殷勤勤地勸我,
憂思,能够令人衰老;
你更問我能不能,
向着你的明眸微笑!

你的話是雨後的南風,
將我的愁雲盡都吹散;
但我仔細看你的眼眶裏,
也是汪汪地淚珠含滿!

——1924.

37

鞦韆架上

我躺在嫩綠的淺草上,
望着你蕩起鞦韆;
春愁隨着你蕩來蕩去,
盡化作淡淡的青煙.

我的姑娘,你看那落日,
牠又在暮靄裏銷沉——
只剩下紅雲幾抹.
冷清清,四顧無人!

春的歌

丁香花,你是什麽時候開放的?
莫非是我前日爲了她,
爲她哭泣的時候?

海棠的花苞,你是什麽時候生長的?
莫非是我爲了她的憧影,
斂去了愁容的時候?

燕子,你是什麽時候來到的?
莫非是我昨夜相思,
相思正濃的時候?——

丁香,海棠,燕子,我還是想啊,
想爲她唱些''春的歌,''
無奈已近暮春的時候!

39

綠樹外

綠樹外

紅窓內,

是誰家肯把

這樣輕惋的幽思,

寂寂地寫在靜夜裏.

夜色隨了琴聲顫動——

顫動得這座小樓

變成了西方的古堡,

顫動得山上山下的樹

都開遍了花,

微風偸着花兒細語……

最

最後那彈琴人
情願把沉逸的哀音
變爲響亮——
好惹得遠遠近近
都"淚琅琅,
滴滿了襟裳!"

41

在海水浴場

1. 浪來了……

浪來了,你跳入海中,
浪平了,又從海中跳起,
跳在平板的船兒上,
唱着你故鄉的情曲.

浴衣襯着粉的肌膚,
金髮披在粉的雙肩——
岩石爲着你含了愁容,
潮水爲着你充滿了瘋癲.

我可是在什麼地方,
曾見過你的情郎?
他夜夜在森森的林裏,
望着樹疏處的星星嘆息!

2. 沙中

在這鬆散的沙中,
却於一團溫馨凝聚;
唇兒吻在沙裏邊,
深吻着脂汗的香氣.

我的雙臂嬾嬾地
向暖暖的空中前伸,
依然觸着了(那昨天的)
柔膩的玉體橫陳——

怎能從這海浪裏,
湧出來魔術的少女,——
倩她攫去了我的靈魂,
只剩下唇在沙中狂吻!

3 風吹着髮……

風吹着髮,又長了一分,
煩惱也增了一寸——
雄渾無邊的大海.
牠怎憐人的困頓!

那邊是悲切的軍笳,
樹林中蟬聲正炎;
波浪把一座太陽
閃化作星光萬點.

遠遠的歸帆,——
牠告我新聞一件,
"有支船兒葬在海心,
正當着一個悽淸的夜半!"

墓旁

我乘着斜風細雨,
來到了一家墳墓;
墓旁一棵木堇花,
便惹得風狂雨妒.

一座女孩的雕像
頭兒輕輕地低着——
風在她的睫上邊
吹上了一顆雨珠.

我摘下一朶花兒,
悄悄放在衣袋裏;
同時那顆雨珠兒
也隨着落了下去!

45

雨夜

林中聚集着
無數的幽靈,
他們又歌又舞,
踏着風聲雨聲.

蟋蟀兒也不休懈,
在草裏啮啮——
可有個飄零的人
在林中踽踽?

閃電閃在林中,
示給他一條小道——
蟬在樹上驟然鳴,
鳥在谷中應聲叫!

雷

雷聲擊在林中,

幽靈們四方散去,

散到隱秘的地方,

唱着悽切的歌曲.

"憔悴的馬櫻花鬚,

愁遍山崖的薜藶,

隨着冷雨淒風

吹入人間的美夢裏!"

47

孤雲

(寄友)

我對此亭亭的孤雲
悽惶欲泣——

牠來自北方的
那座灰色城裏:

在那座城裏邊
事事都成陳迹——

我怎能够將牠
也撕成千絲萬縷!

我是一條小河

我是一條小河,
我無心由你的身邊繞過——
你無心把你彩霞般的影兒
投入了我輭輭的柔波.

我流過一座森林——
柔波便蕩蕩地
把那些碧翠的葉影兒
裁剪成你的裙裳.

我流過一座花叢——
柔波便粼粼地
把那些悽艷的花影兒
編織成你的花冠.

無

無奈呀,我終於流入了,
流入那無情的大海——
海上的風又厲,浪又狂,
吹折了花冠,擊碎了裙裳!

我也隨了海潮漂漾,
漂漾到無邊的地方——
你那彩霞般的影兒
竟也同幻散了的彩霞一樣!

——1925.

夜步

一隻燭光蒼蒼地
在那寂寞的窗內——
既不照盛筵綺席,
更不照戀人幽會.

幾粒星光茫茫地
映在這死靜的河內——
既無人當作珍珠串起,
更無人當作滴滴清淚.

燭光啊,你永久蒼蒼,
星光啊,你永久茫茫:
我永久從這夜色中
拾來些空虛的惆悵!

51

如果你……

（三春將盡，K.從海濱寄贈

櫻花殘瓣，作此答之。）

如果你在黃昏的深巷
看見了一個人兒如影，
當他走入暮色時，
請你多多地把些花兒
向他拋去！

"他"是我舊日的夢痕，
又是我燈下的深愁淺悶：
當你把花兒向他拋散時，
便代替了我日夜乞求的
淚落如雨——

懷 Y. 兄

當那燕子還來的黃昏,
我一個人靜靜悄悄,
在你故居的窗前,
夢遊一般地走到.

寂寂靜靜——
我輕輕地叫着你的名兒,
窗內彷彿有人答應!

我傍着窗兒癡等,
但是窗兒呀總是不開;
一直等到了冷月悽清——
朋友啊,你那時在那裏徘徊?

53

那夜風雨後,
你像躑躅在我的身邊——
滿院嗅着柳芽香,
滿地踏着殘花瓣.

寂寂靜靜——
我輕輕地叫着你的名兒,
雲內彷彿有人答應!

我靠着樹兒癡等,
但是陰雲呀,總是不開;
一直等到了夜闌更深——
朋友啊,你那時在哪裏徘徊?

我

我像是古代的牧童
失掉了他的緜羊,
我像是中古的詩人
失掉了他的夢想.

寂寂靜靜——
我輕輕地叫着你的名兒,
遠方總彷彿有人答應.

我望着悽艷的夕陽,
我望着幽沉的星海,
望得我心滯神傷——
朋友啊,你那時在哪裏徘徊?

55

遙遙

你那兒的蘆花也白了,
我這兒的蘆花也白了.
我凝神將蘆花細數,
像是一里一程地走近了你;
我數盡了無數顆,
却終於是悵悵地——
千里外,眞是遙遙啊!

你那兒的夕陽也要落了,
我這兒的夕陽也要落了.
黃金色的在雲裏,
恰似我那昨宵的夢.
一帶模糊的青山,
輕輕描上了我的心頭——
千里外眞是遙遙啊!

你

你那兒的果子也熟了,
我這兒的果子也熟了.
綠色的失去了希望,
紅色的盡都凋落了:
相思到了這般境地,
也只有聽那流水的殷殷——
千里外眞是遙遙啊!

57

在郊原

續了又斷了
是我的琴弦,
我放下又拾起
是你的眉盼——
愛啊,我一人遊蕩在郊原,
將戀情比作了,夕陽淹淹!

牠是那紅色的夕陽,
運命啊,淡似青山;
青山被夕陽烘化了
在遑遑地暮色裏邊.

我

我願徬徨空虛內，
化作了風絲同雨絲——
雨絲嫋在花之間，
風絲繫在樹之巔，
愛啊，你應該是個採擷人，
花葉都編成了，你的花籃！

''花籃裏裝載着
風雨的深情——
更絲絲縷縷的
是可憐的生命！"

愛啊，我一人遊蕩在郊原，
將運命比作了，青山淡淡——
續了又斷的
是我的琴弦，
我放下又拾起
是你的眉盼！

"晚報"

(贈賣報童子)

夜半的北京的長街,
狂飆伴着你盡力地呼叫,
　"晚報!晚報!晚報!"
但是沒有一家把門開——
同時我的心裏也叫出來,
　"愛!愛!愛!"

我們是同樣的悲哀,
我們在同樣荒凉的軌道,
　"晚報!晚報!晚報!"
但是沒有一家把門開——
人影兒閃閃地落在塵埃,
　"愛!愛!愛!"

一

一捲捲地在你的懷，
風越冷，越要緊緊的抱.
　“晚報!晚報!晚報!”
但是沒有一家把門開——
一團團地在我的懷，
　“愛!愛!愛!”

——1926.

61

在陰影中

我在陰影中摸索着死,
她在那邊緊握着光明.
神呀,我願一人走入地獄裏,
森森地走入了最深層;
在地獄的中途嘗遍了
冰雹同烈火,暴雨和狂風.

烈火與冰雹,
爲了她同我的深情;
狂雨與暴風,
爲了她同我的生命:
神呀,我今夜向你呼號,
是最後的三聲兩聲!

從

從此我轉頭不顧,

莫儘在淡淡的影裏求生!

我一人稜稜地昂首,

在那地獄的深層——

望着她將光明緊握,

永久地,永久地向上升騰!

63

工作

聽明的姑娘啊,告訴我說,
我是一個可憐的人,
我應該怎樣的工作?
我的春夏是有限的幾天,
我的嚴冬啊,却是,
却是那樣的久遠!

我是不是應當,
爲了那後日的荒涼——
從你的面龐摘下來
那永不凋殘的花朵,
在我的心中注滿了
你漾漾地眼角的柔波?

我

我是不是應當，
爲了那後日的荒凉——
先聽你千聲萬聲的呼喚，
在空中化作了旗旛一扇，
牠引導着我，（萬事蒼蒼，）
走入將來的人海茫茫！

65

永久

我若是個印度人，
便邁入了濃密的森林；
我若是個俄國人，
便踏上了冰天雪地：
因為牠們都是永久的，
在南天，在北極.

我呀，我生在溫帶的國裏，
沒有雪地沒有森林——
我追尋我的永久的，
我的永久的可是你？
但是我怎樣的走進呀，
永久裏永久裏？

你倚着樓窗……

你倚着樓窗向下望,
會望見長街瀰漫的塵沙;
但是你望不見沙中埋沒的
路上的我,路畔的槐花.

風會把花香吹揚給你,
我,我可像眞珠永沉大海——
沒有你的目光到我的身邊,
我怎樣才能有光彩!

同乞丐是一樣的運命,
在神的那兒永無名姓:
一旦我踉蹌地死在路旁,
將怎樣的刻呀,我的墓銘?

默

風也沉默,

水也沉默——

沒有沉默的

是那萬尺的晴絲,

同我們全身的脈絡.

晴絲蕩蕩地沾惹着湖面,

脈絡輕輕地叩我們心房——

在這萬里無聲的裏邊,

我悄悄地

叫你一聲!

這

這時水也起了縐紋,

風在樹間舞蹈——

我們暈暈地,朦朦地,

像一對河裏的小魚,

滾入了海水的濤浪.

我願意聽……

春夜呀,

飄着春風——

我願意聽,

你的唇邊說, Oui!

秋夜呀,

冷露零零——

我願意聽,

你的眼角說, Non!

春夜從你的唇邊

飄來的,

秋夜好從我的眼角

——流去!

蛇

我的寂寞是一條長蛇,
冰冷地沒有言語——
姑娘,你萬一夢到牠時,
千萬啊,莫要悚懼!

牠是我忠誠的侶伴,
心裏害着熱烈的鄉思:
牠在想着那茂密的草原,——
你頭上的,濃鬱的烏絲.

牠月光一般輕輕地,
從你那兒潛潛走過;
為我把你的夢境啣了來,
像一隻緋紅的花朵!

71

秋戰

都說我是還年青,還勇敢——
但是一個天大的疲倦呀,
憑空地落到我的身邊;
　　興奮地歌唱啊,
"爲了死亡,爲了秋天!"

我的眼是這樣的昏迷,
我的心是這樣的荒亂,
像是黃昏舖蓋了家家的墳墓,
黑夜呀,來自風濤的彼岸!

杳杳地走過了秋的隊伍,
那是風和雨,落葉與沙塵,
悲笳,馬蹄,還有遠遠地
遠遠地戰塲上的哀音.

戰

戰場在我的心田上,——
神啊,你可曾聽見了這里的殺聲?
疲倦長久地落在我的身邊,
　　興奮地歌唱啊,
"爲了死亡,爲了秋天!"

我又辛苦,又空虛,
彷彿一個沙漠的國王——
他只有頭上的烏褐的雲彩,
我呀,黑色的旗子在面前飄蕩!

那是母親遺留的贈品,
當她在戰場上敗退的一瞬,
她撕下一半永留在我的面前,
其餘的,引導着她的靈魂長殞!

如

如今只有牠在戰場上耀耀飛揚,
不知是欣歡,還是悽慘?
疲倦長久地落在我的身邊,
　　興奮地歌唱啊,
"爲了死亡,爲了秋天!"

都說我是還年青,還勇敢——
哪里有力量啊,把這個隊伍趕散?
春日的和平,是那樣的遼遠,
油油的蓑草,盡被戰馬摧殘!

風吹着旗子,旗子掃着風,
滿地是戰士的骸骨——
殷勤的聖者會給他們最後的慰安,
十字架豎在高高的墳墓!

神

神啊,我却永遠望不見
望不見十字架上的光燦——
疲倦侵蝕了我的衷心,
　　興奮地歌唱啊,
"爲了死亡,爲了秋天!"

風夜

“也是這樣的風夜，
也是這樣的秋天——
我把生命啊，釀成美酒，
曾頻頻地送到你的唇邊，
一盞，兩盞，三盞……”

我屈指般般地暗算，
恰恰地滿了一年——
我沉埋我這座昏黃的城裏，
像海上被了難飄散的船板，
一片，兩片，三片……

我

我今宵靜息在秋星下,

如船板飄聚到海灣——

牠們再也當不起那海裏的洶濤,

我也怕望那風中的星焰,

一閃,兩閃,三閃……

77

“最後之歌”

記起母親臨終的禱告,

　　是一曲最後的“生命之歌,

那正是暮春的一晚,

另樣的光輝漾着她的病臉;

　　蠟燭在臺上花花地爆,

　　彷彿是宇宙啊,沒有明朝——

她把那時的情調深深地交給我,

　　還有我衣上的她的手澤!

箱

箱子裏貯藏着兒時的衣裳,

心內隱埋着她最後的面龐;

偶然把灰塵裏的箱子打開,

那當時的情味也湧上心來

蠟燭在臺上花花地爆,

彷彿是宇宙啊,沒有明朝——

可是中間又踱了許多的年月,

此刻啊,一個清新的秋夜!

這時我充滿了"最後"的情懷,

秋天的雨冷,冬夜的風悲!

鏡中的我的面龐,

却沒有另樣的光輝;

蠟燭在臺上花花地爆,

彷彿是宇宙啊,沒有明朝——

這時我像是上帝的罪人

臨刑時也聽不見聖靈的呼叫!

記

記起母親臨終的禱告,

是一曲最後的"生命之歌"

我却悽悽地無依無靠,

只瞥見天邊的一縷"柔波".——

母親把她的歌聲,

眞切地留在兒子的心中;

柔波却是空幻地,蕩漾地,

"來也無影,去也無踪!"

許多的現象不可捉摸,

却引起許多的靈魂追逐!

沙漠的幻影累死了駱駝,

些微的火燄燒死了燈蛾:

神呀,我可曾向你眞摯,

像母親一般地信仰你?

神呀,我今宵向你禱告,

只請你給我一些,一些面上的光耀!

靜

靜默中神也沒有答語,
　　我怔怔地是一人踽踽;
母親望着他的幼兒,
我望着那柔波一縷.
　　蠟燭在臺上花花地爆,
　　彷彿是宇宙啊,沒有明朝——
我把那無可奈何的希望,
　　盡放在那縷柔波上!

牠却像林中的鹿麋,
　　水底的游魚,
霎時間奔入蒼茫的雲海,
像一顆流星的永刼!
　　蠟燭在臺上花花地爆,
　　彷彿是宇宙啊,沒有明朝
陰暗渲染了我的面貌,
　　望着永逝的柔波向神禱告!

在

81

在母親祈禱的牀邊,

牧師曾朗誦着古哲的詩篇.

他說母親是一朵潔白的

潔白的花朵,開在上帝的花園

在我寂寞的棹旁,

現出來一個聰慧的姑娘——

"起來吧!騎着駱駝,趕着燈蛾,

去追逐殘餘的那縷柔波!"

卷　下

83

吹簫人

我唱這段故事,

請大家切莫悲傷,

因爲他倆又跑入了深山,

也算是快樂的收場!

在

"1"

在中古,西方的高山,
高山內,洞宇森森;
一個壯美的青年,
他在洞中居隱.

不知是何年何月
他獨自登上山腰;
身穿着閑雅的長衫,
還帶着一枝洞簫.

他望那深深的深谷,
也不知望了多少天.——
更辨不清春夏秋冬,
四季的果子常新鮮.

四圍儘在睡眠,
他忘却山外的人間.
有時也登上最高峯,
只望見雲幕的重重!

三十天才有一次——
若是那新月彎彎;
若是那松間翕萃,
把芬芳的冷調輕彈;

若是那夜深靜悄,
小溪的細語低低;
若是那樹枝風寂,
鳥兒的夢境迷離:

他

他的心境平和,
他的情懷恬淡,
他吹他的洞簫,
不帶着一些哀怨.

一夜他已有十分睡意,
濃雲却將洞口封閉,——
他心中忐忑不安,
這境界他不曾經驗!

如水的月光,
盡被濃雲遮住,
他輾轉枕席,
總是不能入睡.

他

87

他順手拿起洞簫,
無心地慢慢吹起——
爲什麼今夜的調兒,
含着另樣的情緒?

一樣的松間,
一樣的小溪細語,
爲什麼他微合的眼中,
漸漸含滿了哭泣?

誰將他的心扉輕叩,
可有人同他合奏?
—— 簫聲的雜複,
絕不像平素的那樣質朴.

第

2.

第二天的早晨，
他好像着了瘋狂，
他吹着簫，披着長衫，
望喧雜的人間奔向．

簫離不開他的唇邊，
眼前飄蕩着昨夜的幻像——
銀灰的雲裏烘托着
一個吹簫的女郎．

烏髮與雲層深處，
不能仔細區分；
淺色的衣裙，
又髣髴微薄的浮雲．

她

她分明是雲中的仙女,
却又充溢了人間的情緒;——
他緊握着他的洞簫,
他說,要到人間將她尋找!

眼看着過了一年,
簫吻着他的唇兒嗚咽,
早遺掉山裏的淸幽,
同松間的風韻.

他穿過無數的市廛,
他走過無數的村鎭,
他看見不少的吹簫女郎,
於他只是有滿衣的灰塵.

古

古廟中,松栢下,
一座印月的池塘——
他暫時忘去了他的尋求,
又覺到一年前的清爽.

心境恢復平淡,
簫聲也隨着和緩——
可是樓上誰家女,
正在濛濛欲睡?

在這裏,停留了三天,
該計算,明日何處去;
呀!煙氣氤氳中,
一縷縷是什麼聲息?

樓

樓上紅窗的影兒,
是一個窈窕的女郎;
她對誰抒寫幽思,
訴說她的哀腸?

他如夢如醉地
一似當年的幻像——
他哪能自主,
洞簫不往唇邊輕放?

月光把他倆的簫聲,
溶在無邊的淚海之中:
深閨與深山的情意,
亂紛紛織在一起!

流

3.

流浪無歸的青年.
哪能娶侯門嬌女?
任憑媽媽怎樣慈愛,
嚴厲的爹爹也難應許.

他倆日夜焦思,
爲他倆的願望努力——
夜夜吹簫的時節,
魂靈兒早合在一起!

今夜呀,爲何聽不見,
樓上的簫聲?
他望那座樓窗,
也不見孤悄的人影.

父母才有些活意,
無奈她又病不能起;
藥餌俱都無效,
更沒有氣力吹簫!

夢裏洞簫向他說,
"我能醫入了膏肓的重病;
因爲在我的腔子裏,
儘藏着你的精靈."

他醒來沒有遲疑,
把洞簫劈作兩半——
煮成了一碗藥湯,
送到那病人兒的床畔.

父

父母感戴他的厚意,
允許了他們的願望.
明月依舊團圞,
照着並肩的人兒一雙!

啊,月下的人兒一雙!
簫呀,已有一枝消亡!
人雖是,正在欣歡,
她的洞簫,獨自孤單!

他吹她的洞簫,
不能如意;
他思念起他自己的,
無可奈何的傷泣!

假如我的洞簫還在,
天堂的門,一定大開,
無數仙家女,爲我們,
擲花舞蹈齊來!"

他深切的傷悲,
怎能夠向她說明;
後來終於積成了,
不能醫治的重病.

她終不能不把她的簫,
也當作惟一的聖藥:
完成了她的愛情!
完成了他的生命!

剩

Epilog.

剩給他們的是空虛，

還有那空虛的惆悵——

縷縷的簫的餘音，

引他們向着深山逃往！

——1923,5,4.

97

帷幔

(鄉間的故事)

誰曾經,望着那葱蘢的山腰,
葱蘢裏掩映着,一帶紅墻,
不曾享受過,幽閑的聖味——
氤氳地,漾起來一絲遐想?

在那裏起居的,或男或女,
都說是脫去了,許多牽累;
在他們深潭古井般的心中,
却像含蓄着,中古羅曼的風味.

是西方的,太行的餘脈,
有兩座無名的高山,遙遙峙立;
一個是僧院,一個是尼庵,
兩座山腰裏,抱着這兩個廟宇.

在

99

在二百年前,尼庵裏一個少尼,
綉下了一張珍奇的帷幔;
每當鄉人進香的春節,
却在對面的僧院裏邊展覽.

這又錯綜,又神秘的原由,
出自鄉人們單純的話裏——
說那少尼在十七歲的時節,
就跪在菩薩龕前,將烏絲鬌去.

她的父母,是朱門舊戶,
她並不是,爲了飢寒;
她雖然多病,但是也不曾
在佛前,許下了什麼夙願.

她

她只是在一個,梅蕊初放的月夜裏,
暗暗地離掉了,她的家園,
除了她隱隱深瀶的,痛苦,聰明,
便是鶯鳥兒,替人間訴說憂怨.

她不知走入了,多少迷途,
走得月兒圓圓地,落在西方;
雲雀的聲中,把她引到這座庵前,
庵前一潭泓水,微微蕩漾.

終不像在人間,能享清福——
在水認識了,她的娟麗,
她毅然地走入尼庵中,
情願把青春的花葉,化作枯枝.

老

101

老尼含着笑意向她說,
"你既然發願,我也不能阻你,
從此把一切的妄念,都要除掉,
這不能比作尋常的兒戲!

"雖說你覺得,苦海無邊,
底是誰將你這年輕的兒提醒?
就使你在我的面前不肯說,
在佛前懺悔時,也要說明!"

"我的師,並沒有人將我提醒;
我只是無意中,聽見了一句——
說將來同我共運命的那個人,
是一個又醜陋,又愚蠢的男子.

無

"無奈婚約,早被父母寫成,
婚筵也正由,親友籌畫;
他們嬉嬉笑笑,忘了我的時候,
我只好背了他們,來到這座山下.

"我的師,這都是眞實的話,
我相信你,同信菩薩一樣;
我情願消滅了,一切熱念,
冰一般地凝凍了,我的心腸!"

淚珠兒隨着清脆的語聲,
一滴滴,一字字,溼遍了衣襟.
老尼說,"你削去煩惱絲,
淚珠兒也要隨着煩惱消盡!"

惱

103

惱人的春風,才吹綠了山腰,
凄涼的秋雨,又淋病了簷前的弱柳;
人世間不知又起了,多少紛紜,
尼庵總是靜靜地沒有新鮮,沒有陳舊.

只有那暮鼓晨鐘,經聲佛號,
不知是將人喚醒,還是引人入夢?
她的心兒隨着形骸消瘦,
可是沒有淚的眼前,更覺曚矓.

過了一天,恰便似過了一年,
眼看就是一年了,回頭又好像一天;
水面上早已結了寒冰,
荒凉與寂寞,也來自遠遠的山巔.

正

正午的陽光,初春般的溫暖,
熙熙的白鴿兒,在空際飛翔;
翩翩地,來了青年的兄妹,
說是奉了母命,來拜佛進香.

她看着那俊秀青年的眉端,
蘊着難言的深情一縷——
活潑的妹子悄悄地,在她身邊說,
句句聲聲,都成了她的千針萬棘!

"美麗的少姑啊,我告訴你!
聰明的你,你說他冤不冤?
爲了遺棄了他的,一個未婚妻,
我的哥哥便許下了,不婚的願!"

她

她昏昏地,獨坐在門前,

落日也沉沉地,北風凄冷,

她怦怦地,目送着一雙兄妹下了山,

一直地看得,沒有一些兒蹤影!

寒鴉呀呀地,棲在枯枝,

渺渺茫茫地,只剩下黃昏;

熱淚溶解了,潭裏的寒冰,

暮鐘頻頻鼓擊,她彷彿無聞.

老尼的心腸,雖是冷若冰霜,

也不由得憐她的年紀輕輕——

這樣兒年紀輕輕地,

便有這樣的,乖奇的運命·

憐

憐她本也是貴族的閨女,
教她靜靜地修養,在庵後的小樓.
她懨懨地,不知病了幾多時,
嫩綠的林中,又聽見了鷓鴣.

山巔的積雪,被暖風融化,
金甲的蟲兒,在春光裏飛翔;
她的頭兒總是低低地,
漫說升天成佛,早都無望.

只望一天天地憔悴了,
將來獨葬在,三尺的孤墳——
啊,只要是世上所有的,
她都沒有了,一些兒福分!

爐

爐烟縷縷地,催人睡眠,
春息薰薰地,吹入了窗閣;
一個牧童,吹着嘹喨的笛聲,
趕着羊兒,由她的樓下走過.

笛聲越遠,越覺得幽揚,
兩朵紅雲輕抹在,她蒼白的面龐——
她取出一張緋紅的紬幔,
仔細地看了許久,又放在身旁.

第二日的陽光笛聲裏,
更參雜着陶陶欲醉的歌唱——
她的心兒裏,湧出來一朵白蓮,
她就把牠,綉在帷幔的中央.

此

此後日日的笛聲中，
總甜甜地，有一種新鮮的曲調——
她也就把彩色的線，按着心意，
水裏綉了比目魚，天上是相思鳥！

她時時刻刻地，沒有停息，
把帷幔綉成了，極樂的世界——
樹葉相遮，溪聲相應，
只空剩下了，左方的一角．

本還想把她的悲哀，
也綉在那空角的上面——
無奈白露又變成嚴霜，
深夜裏又來了，嗷嗷的孤雁！

梧

109

梧桐的葉兒,依依地落,
楓樹的葉兒,悽悽地紅,
風翕翕,雨疎疎,她開了窗兒,
等候着,等着吹笛的牧童.

"這是我半年來,綉成的帷幔,
多謝你的笛聲,給我許多靈感!
我是個十八歲的少尼,
我的身世,只有淚珠汍瀾!

"可是我們永久隔閡着;
在兩個世界裏——"
她把這包帷幔擲下去,
忽忽地,又將窗兒關閉.

次

次日的天空,布滿了彤雲,
宇宙都病了三分,更七分愁苦:
一個牧童,髮度在對方的僧院,
尼庵內焚化了,這年少的尼姑.

現在已經二百多年了,
帷幔還珍重地,被藏在僧院裏——
只是那左方的一角呀,
至今沒有一個人兒,能够補起!

——1924,初秋

111

蠶馬

1.

當着那天邊才染了春霞,

當着那溪旁開遍了紅花,

當着我的癡情化成了火焰,

我便悄悄地走在她的窗前.

我說,姑娘啊,蠶兒正在初眠,

您的情懷可曾覺得疲倦?

只要您聽着我的歌聲落了淚,

那麼,不必探出窗兒來問我"你是誰?"

在那時,年代眞荒遠,

路上少行車,水上不見船——

在那荒遠昏黃的裏邊,

給了我多少蒼凉的傷感!

是一個可憐的少女,

沒有母親,慈父又遠離,

臨行的時候囑咐她,

"好好地看護着這田園數畝!"

院

院中一匹白色的駿馬,
慈父眼望着女兒,手指着牠——
"牠會馴良地爲你耕作,
牠是你忠實的伴侶!"
女兒不懂得什麼是別離,
不知慈父往天涯,還是海際?
依舊是風風雨雨地,
可是田園呀,一天比一天荒寂!

"父親呀,你幾時才能夠歸來,
來日呀,眞是汪洋的大海——
馬,你可能渡我到海的那邊,
去尋找父親的笑臉?"
她倦倦地望着衰花枯葉,
輕撫着駿馬的鬣毛——
"如果有一個親愛的青年,
他必定肯爲我走遍天邊!"

她

她的心內濛濛想,
浮塵中浮着將落的夕陽,
不由得有一個含笑的青年,
在她的面前蕩漾——
忽地一聲嚮喨的嘶鳴,
悚悚地將牠的癡魂驚醒;
駿馬已經投入了平蕪的遠景,
同時也消逝了,她面前的幻影!

2.

當着那溫溫的柳絮成團,
當着那彩色的蝴蝶翩翩,
當着我的心中正燃着火焰,
我便悄悄地走在她的窗前.
我說,姑娘啊,蠶兒正在三眠,
您的情懷可曾覺得疲倦?
只要您聽著我的歌聲落了淚,
那麼不必探出窗兒來問我,“你是誰?”

荆

荊棘生遍了她的田園,
煩悶佔據了她的日夜,
在她那孤孤單單的窗前,
只有些喳喳的麻雀!
一日又傍着窗兒發呆,
路上遠遠地起了塵埃——
(她早已不作這個夢了,
這個夢早已在她的夢外!)

現在呀,遠遠地起了塵埃,
駿馬尋着了慈父歸來!
父騎在駿馬的背上,
馬的嘶鳴變作了和諧的歌唱!
父吻着女兒的鬢邊,
女拂着慈父的征塵;
馬却跪在她的身邊,
只不住汗淚淋淋!

父

父像是寧靜的大海，
她正如瑩晶的皎月，
月投入海的深懷，
淨化了這枯悶了的世界！
只是馬跪在她的床畔，
整夜地涕泗漣漣，
目光髣髴明燈兩盞——
"姑娘啊，我爲你走遍了天邊！"

她拍着馬頭向牠說，
"快快地去到田園工作！
你不要這樣的癲癡，
提防着父親要殺掉了你！"
牠一些兒鮮草也不嚥，
半瓢兒清水也不飲，
不是向着她的面龐長嘆，
便是昏昏地在她的身邊睡寢.

蠶

3.

當着凋落了黃色的薔薇,

當着那黑衣燕子呶呶,

當着我的懷中還燃着餘焰,

我便悄悄地走在妯的窗前.

我說,姑娘啊,蠶兒正在織繭,

您的情懷可曾覺得疲倦?

只要您聽著我的歌聲落了淚,

那麼不必探出窗兒來問我"你是誰?"

黑夜裏空空曠曠地,

窗外是狂風暴雨;

壁上懸掛着一件馬皮,

(是妯惟一的伴侶!)

"慈愛的父親,你今夜

又流離在那裏?

你把駿馬殺掉了,

我又是淒凉,又是恐懼!

慈

"慈愛的父親,
雷霹靂,電光芒——
丟下了你的女孩兒,
又是恐懼,又是淒涼!"
"親愛的姑娘,
您不要淒涼,不要恐懼!
我願生生世世保護着,
保護着您千金玉體!"

馬皮裏發出沉重的語聲,
她的心兒怦怦,髮兒悚悚;
電光射透了她的全身,
皮又隨着雷聲閃動!
依着風聲哀訴!
伴着雨滴悲啼!
"我生生世世地保護您,
只要您好好地睡去!"

剎

剎那間是個青年的幻影,

剎那間是那駿馬的狂奔:

在那大地將要崩頹的一瞬,

馬皮緊緊裹住了她的全身!

姑娘啊,我的歌兒還未唱完,

無奈呀,我的琴弦已斷;

我惴惴地坐在您的窗前,

再續上那最後的一段——

一霎時風雨都停住,

皓月收束了雷同電;

馬皮裹住了她的身兒

月光中化作了雪白的絲繭!

——1925,初夏

121

寺門之前

暮色染上了赭紅的寺門,
翠柳上的金光還不曾退盡,
街上的浮蕩着輕軟的灰塵,
寺門前憩坐着三五行人——
有的是千里外的過客,
有的是左近的村隣,
他們會面的時候都生疏,
霎時間便成爲知已,十分親近.

他們訴說着海外的珍聞,
同着三十年前的爭戰;
一任行囊委棄,在路旁,
只領畧着烟味濃.茶水淡——
在他們語言交錯的中間,
一個年老的僧人也坐在廟前,
看他那餘暉反映的雙眼,
可含着什麼非常的經驗?

一

一人說他幼時在海濱,
海上還沒有火輪——
燕子邀請着他們的靈魂,
遊歷那奇險的烏雲,
白鷗也時時約他們,
沉入了海水的深深;
並且聽他的祖母說,
水中當眞有那噴樓的海蜃.

"只是最近的五十年,
蜃樓再也不出現!"
他一邊說一邊感嘆,
不提防,老僧走近了他們的身畔.
"我也是生長在海邊,"
他那沒有牙齒的唇兒微微地顫,
"我那時滿想,生命有多少年,
蜃樓可以望見多少遍.

爲

‘‘爲什麼我作了行脚僧,
離開了海濱的風景?
奇彩的蜃樓在腦中,
只剩下一個深深的幻影!
我走過江南的水千道,
我走過西蜀的山萬重,
但我最後來到這裏,
這裏的北方的古城.

‘‘佛呀,我那時還是在少年,
用力打破了層層的難關:
爲了西蜀的少婦們
曾經整夜地失過眠——”
他的態度很安然,
大家驚訝地面面相覷.
‘‘爲了江南的姑娘們
曾經整年地覺着心內酸!

佛

‘‘佛呀,我那時還是正年少,
用力解開了結結的煩腦:
每逢走過了繁華之區,
便儘着兩腿向前跑——
頭昏沉,淚含飽,
沾濕了灰色的僧袍;
跑到城外的荒丘,
伸開臂將和風緊抱!

‘‘佛呀,我那時還是在少年,
許下了許多夙願:
負着我鋒利的殳刀
天涯地角都走遍——
若遇見暴露的白骨,
便將牠珍重地埋掩;
還爲牠的靈魂祝禱着,
祝禱着來生的安晏!

年

''年少眞是不好過，
內心裏起了無限的風波，
風波是那樣的險惡，
正像是流下了龍門的黃河'
''修行眞不是件容易事，''
大家漠漠落落地說——
誰留神他皺紋的衰頰上，
綴上了淚珠三兩顆！

''咳，修行眞不是件容易事，
什麼地方是西天？
紅色的花朵眼也不准看，
綠色的葉子手也不許攀；
挨過了十載的歲月，
好容易渡到了中年，
那時內心稍平定，
才胆敢在路上流連！

啊

"啊!一夜蕩蕩地是什麼情景?
初秋的月亮是一座冰輪,
螢火蟲兒儘在草裏飛,
冷露濕遍了荒寞的鄉村;
據說這座鄉村,
才經過了兵搶,又是火焚,
如今只要到了旁午,
便靜靜地鷄犬不聞.

"在我的面前是什麼,
我只一心一意思念着佛;
夢一般地浮漾着
那銀光燦爛的恒河,
河上開遍了白蓮花,
羣神端坐蓮花朵——
啊,脚下軟軟地是什麼?
佛啊,說起來眞是罪過!"

這

這時大家更驚嚇，
他的面貌轉成了獰惡.
''在我的脚下是什麼?
是一條女子的屍骸半裸!
我的脚踏着她的頭髮,
我的全身都抖索!
月光照着她的肌膚雪一樣的白,
月光照着我的眼睛泥一樣的黑!

''這時由於我的直感,
不曾忘記了我的夙願,
我在路旁的土地上,
還盡力用我的殳力剷.
我的手無心觸着了她,
我的全身血脉都打戰,
在無數的戰慄的中間,
我把她的全身慢慢都撫遍!

這

“這時我像是一個魔鬼,
夜深時施展着我的勤勞;
我竟敢將她抱起來,
任憑月光斜斜地將我照!
我的全身都僵凝,
她的心頭却彷彿微微跳;
這時我像是挖着了奇寶,
遠遠的鴟梟嗷嗷地叫!

“我望着她蒼白的面孔,
眞是呀無限的華嚴;
眼光釘在她的乳峯上,
那是高高地須彌兩座山!
我戲弄,在她的身邊,
我呼吸,在她的身邊;
全身是腥腐的氣味,
加雜着脂粉的餘殘.

最

"最後我枕在屍上邊,
享受着異樣的睡眠,
我像是枕着膩冷的石綿;
螢火蟲兒迷離地,
我眞是魔鬼一般——
我的夢不曾作了多一半,
雞已經叫了第三遍,
是什麼在身後將我追趕?"

老僧說到這里靜無言,
面色悽悽慘慘地變;
大家都壓口無聲,
一任着夜色來浸淹——
"咳,自從可怕的那一晚,
我再也不敢行脚在外邊,
於是我在這里住下了,
一住住了三十年!

在

"在這默默中間的三十年,
蜃樓的幻影回來三十遍——
若是那初秋的夕陽;
淡淡地雲彩似當年;
可是幻影不久便幻滅,
空剩下一輪明月在高懸,
於是我顫顫地回到方丈內,
還一似躺在女屍的身邊!

"這是我日夜的功課!
我的悲哀,我的歡樂!
什麼是佛法的無邊?
什麼是彼岸的樂國?
我不久死後焚爲殘灰,
裏邊可會有舍利兩顆?
一顆是幻滅的蜃樓!
一顆是女屍的半裸!"

他

他說罷泣泣淹淹，

剎那間星斗滿了天——

人們都忘了是行路人，

悚悚地坐在寺門前；

煙味也不濃，

茶水更清淡！

像一隻褐色的蜘蛛，
吐着絲將他們一一地絆！

——1926.夏.

I

卷上目錄

綠衣人 (1921)……1

問 (1922)……2

滿天星光 (1923)……4

一顆明珠……6

不能容忍了……7

夜深了……8

暮雨……10

樓上……11

歸去……13

歌女……15

小艇……17

狂風中……18

殘餘的酒……19

懷……21

追憶……22

初夏雜句……23

II

別K. …… 25

窗外 …… 27

瞽者的暗示 …… 29

宴席上 …… 30

殘年 …… 35

你———(1924) …… 36

鞦韆架上 …… 37

春的歌 …… 38

綠樹外 …… 39

在海水浴場 …… 41

1. 浪來了 …… 41

2. 沙中 …… 42

3. 風吹着髮 …… 43

墓旁 …… 44

雨夜 …… 45

孤雲 …… 47

我是一條小河 (1925) …… 48

夜步 …… 50

III

如果你……51
懷Y.兄……52
遙遙……55
在郊原……57
"晚報"(1926)……59
在陰影中……61
工作……63
永久……65
你倚着樓窗……66
默……67
我願意聽……69
蛇……70
秋戰……71
風夜……75
"最後之歌"……77

卷下目錄

吹簫人 (1923)……………………………………………… 83
帷幔 (1924)…………………………………………………… 97
蠶馬 (1925)…………………………………………………111
寺門之前 (1926)……………………………………………121

1

沉鐘叢刊

1. 爐邊　　定價──

陳煒謨的小說選集.

計收一九二四年的兩篇,一九二五年的一篇,一九二六年的四篇;其中有大半都是沒有發表過,第一次印行的作品. 篇首有代叙的散文一篇.

2. 昨日之歌　　定價四角

馮至的詩集

他從一九二一年至一九二六年內所作的詩中選出五十餘首;分爲上下兩卷.

3. 悲多汶傳　　定價──

法國,羅曼羅蘭原著,楊晦轉譯.

羅蘭是現代最著名的英雄主義者,悲多汶傳 (Beethoven) 是他最著名的一部偉大的英雄傳. 非常簡短而又非常有力的將悲多汶的人格及音樂的偉大表現出來. 這眞是困苦的人們的良好的聖潔的慰藉品. 現由英譯本轉譯過來. 附有插畫三幅.

4. 不安定的靈魂　　　　　　印刷中

陳翔鶴的小說選集.

自作者一九二五年至一九二六年的作品中選出七篇,大半是沒有發表過的.

5. 在世界上　　　　　　　　印刷中

俄國,高爾基原著,陳煒謨轉譯.

高爾基的著作,大抵可分爲三期: 1. 自一八九二至一八九九年間他都在拚命著他的短篇小說; 2. 自一八九九到一九一二年間他努力作長篇小說和戲曲; 3. 自一九一三年以後,他開始作自敘傳和回想錄——這是他作品中最成熟的時代. 到這時候,他脫掉各種時尙的,主義的界尺,他畢竟成了一個客觀的作家. 這使他的自敘傳成爲從未所有的自敘傳中的一件奇蹟: 成了一部極豐富的人物志;這書什麼人都說,就只不說他自己.

在世界上是高爾基自敘的三部作之第二

部,據英譯本轉譯. 全書五百面,篇首有譯者作的短論,附插像一幅.

6 普羅密修士和約伯　　　印刷中

楊晦編譯

這本書裏所收的共計是三篇東西:

(1)『普羅密修士和約伯,』楊晦的散文.

(2)『被幽囚的普羅密修士,』希臘的悲劇家 Aeschylus 著的悲劇. 表現的普羅密修士怎樣因爲救人類,觸了大神宙斯的怒,被慘苦的幽囚於高加索的山野;無論受怎樣殘忍的虐待,却始終不變態度,不爲屈伏,這樣偉大的精神眞是宇宙的光榮!

現根據 L. Campbell 的英譯本譯成中文.

(3)『約伯記.』約伯因爲他的『遠離惡事,敬畏上帝,』反遭撒但的惡弄,受了人所不能堪的痛苦.

於是他於長期的隱忍之後,發出了憤激的呼號;好像屈原的信而見疑,忠而被謗,於是披髮猖狂,行吟澤畔一樣,都充滿着偉大的精神與高潔的心情.

現依照Moulton的辦法,將中譯本聖經中的約伯記改編成劇詩的形式. 字句上也略有修改的地方.

全書共三百多頁,附有插畫兩幅. 附有註釋.

7. 沉鐘　　　　　　　　印刷中

德國,霍普特曼著,馮至譯.

一個藝術家的悲劇. 鐘師亨利要從新鑄一座能以在高處懸掛着,把沉睡的四山都喚起回響的鐘,離棄了他的妻子,去享藝術家的寂寞生活. 雖然因爲心與力的疲勞,鐘終沒有鑄成,向着初升的太陽致禮而死去,我們讀着,依然彷彿感覺到他的勝利. 全書表現藝術與人生,自然與道德,理想與事實的衝突. 這是使霍普特曼列入世界文學中最有名的一部象徵劇.

附印有插像.

5

8. 兩角落間的消息　　　　印刷中

楊晦的獨幕劇集.

共八篇.

9. 當代英雄

俄國萊芒托夫原著,陳煒謨轉譯.

俄詩人萊芒托夫的一部長篇小說. 書中主人公皮喀林常熱切的追求生活,却隨處都是一個厭倦. 於消極的外袍裏罩着的是積極的精神;然而終於不得意的飄泊着,且於這種飄泊中死去了!

10.我的大學時代

俄國高爾基原著,陳煒謨轉譯.

這是高爾基自叙的三部作之第三部.內容的豐富,不下於『在世界上.』 這是一個關於我們的時代中一個偉大勇敢的人物的早年辛苦的記錄。 這是一個最動人,最有趣,最尖刻,關於一個勇健人物之智識的,社會的,哲學的發展之研究. 表現是寫實的,眼光是聖潔的,在困苦艱難的面前是一點也不怕的. 書中有許多動人的事跡和段落,看後决不會忘記.

11 阪道上

陳翔鶴的小說集.

12.小鬼

俄國,梭羅古勃原著,楊晦轉譯.

梭羅古勃的長篇小說 著者以厭世著名,在他的這部小說裏,醜惡便凝聚在紙上:人類的卑下,自私,和他們的互相猜疑,一切的暗影都在那斯訶羅陀什鎮上跳躍,都在丕爾陀諾夫身上作祟——但「丕爾陀諾夫相」並不是俄羅斯特有的,丕爾陀諾夫的肖像是表現全人性的對於醜惡傾向,在我們這樣的社會中,這小說是不無意義的.

I3. ....

北遊及其他

馮至 著

沉鐘社（北平）一九二九年八月出版。原書三十二開。

北遊
及其他
馮至
MCMXXIX

沉鐘叢刊之六

北遊及其他

馮　至

北平沉鐘社出版

印 1 ——1000册

No.

（封面畫係採用日本永瀨義郎的木雕『沉鐘』）

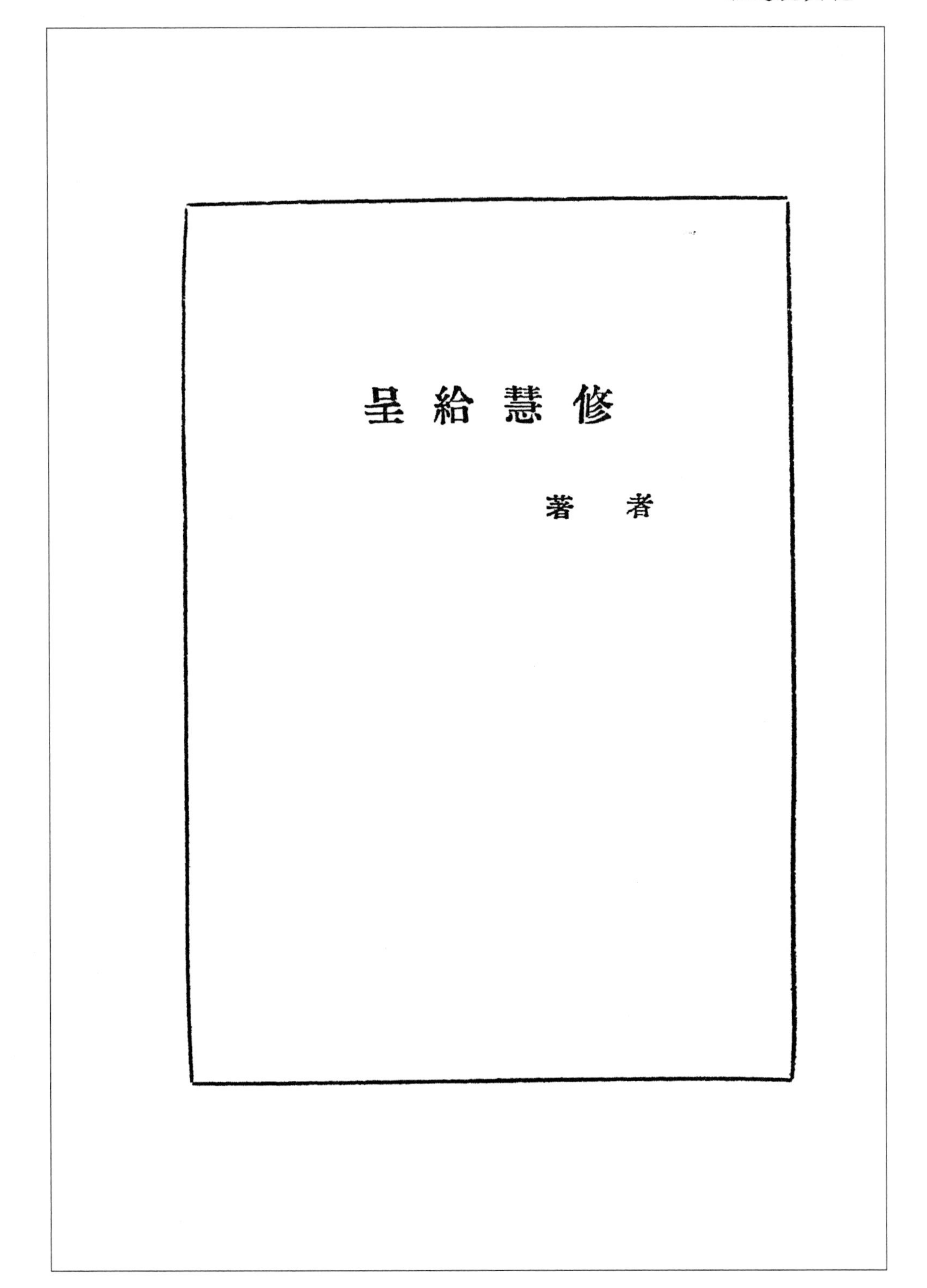
呈給慧修

著者

序

『當我還未完成了一件美麗的工作，
上帝呀，請不要讓我死亡！』

我時常自己想，在這幾年的生活裡，眞能有一件是值得用筆寫出的事體嗎?這樣想時，我即刻便感到一種欣慰：如果有，那便毫無疑問是慧修待我的友情了。五年前我們初次認識，那時我還是一個不到二十歲，而充滿了頑冥的孩子氣的青年，他用着從他的辛苦生活裏換出來的一些經驗，把我當作小弟弟一般地愛着，從冬天買棉鞋到夏天做單衫，從白天到大學去聽講到夜晚坐在燈底下寫詩，只要是關於我的生活上的事，無論是精神的或是物質的，幾乎沒有一件不是他替我想的比我自己所想的還多：歲月是永久地流着，現在我已經要赶上了那時的他的年齡，而他却又不知經了多少內心的憂患，而在今年春天一個刮着風的日子裡滿了三十了。——人生應該怎樣？世界上的 Dogma 太多，我沒有功夫去理牠們．但我却爲了慧修的友情，漸漸地認識出來自己應該怎樣走着的方向。他在我性格的缺欠上不知糾正了多少；在我懦弱的地方不知鼓勵了多少；自幼因爲環境的關係孕成的那自卑心理的雲霧是他給我一點點地撥開了；內心上的許多污點是他爲我一星星地洗去了：他使我知道了精神應該如何清潔，身體應該如何健康，怎樣去想，並且怎樣去愛。——如今我把這從我生命裡培養出來的小小的花圈呈在他的面前，心中眞感到了意外的輕鬆，不管這花圈是怎樣地無香無色，好在是從我『自己的』園裡產出的，既不摘自北方的俄羅斯，也不移自南方的意大利，我只要求慧修他『一人』肯把他聞一聞，能够聞出一點本色的土的氣息，我便會覺得像是他的手撫摩着我的頭髮一般，我的全靈魂都會舒暢了。——將來不可知；而現在我所能呈獻給他的，能力也只限於此了。

—II—

一九二七的初秋，我離開了大學校的寄宿舍，登上了往一個北方的大都市裏去的長途。在許多的送別的人中，最使我難於忘記的是那晚的慧修的面貌。他心裏想着什麼呢？我不知道。我只看着他那辛酸的情味完全形之於當時的動作了：他怎樣爲我起好了行李票，怎樣在火車上給我找到適當的座位，怎樣似有意似無意地把一本 Rossetti 的畫集放在我隨身帶着的箱中：但是他並沒有說什麼話。

車車漸漸地移動了。我不知他同旁的朋友們是否還在月台上呆呆地望着，我却不由己地打開日記本這樣地寫了：『我想，不論我的運命的星宿是怎樣地暗淡無光，但牠究竟是溫帶的天空裏的一粒呵；不論我的道路是怎樣地寂寞，在這樣的路上總是時常有一些斜風細雨來愉悅我的心情的。從家庭到小學校去，是母親用了半夜的功夫爲我配置好了筆墨同雜記本，第二天夾在腋下走去的；從故鄉到北平的中學校去，又是我那勇於決斷的繼母，獨排衆議把

—III—

我送去的；入大學的那年，繼母也死去了，是父親自己給我預備了一切，把我送上火車，火車要開了，他還指着他手中的手杖問我：『要這個不要？』那時他似乎要把他所有的一切都交在他兒子的手中，就連他自己的身子也要同着他的兒子走去；這次呢，我要到人生的海裏去游泳了——『挂帆蒼海，風波茫茫，或淪無底，或達仙鄉。』——送我的是誰呢？我應該仔細地想想，這中間有怎樣重大的意義呀！……』這樣地寫着，我同我的朋友，一步比一步遠了，田野，一步比一步荒凉了。

一程比一程地遠了，一程比一程地荒凉了。『馬後桃花馬前雪，敎人怎得不回頭。』在慧修的面前時，還穿着夏布長衫，等到上了南滿車的北段，凄風冷雨，却不能不暗自從行篋中取出來一件長才及膝的袷袍。穿上以後，禁不住淚落在襟上了！因爲『無花果』那一輯裏的詩，多半是穿着這件袷袍的時候寫的。這時我深深地吟味了漱玉詞南歌子中的名句。

來到那充滿了異鄉情調，好像在北歐文學

穩時時見到的，那大的，灰色的都市，在一座樓的角落裏安放了我的行囊。獨自望着窗外，霪霪的秋雨，時而如絲，時而似繩，遠方只聽到瘦馬悲鳴，汽車怒吼，自己覺像是一個無知的小兒被戲弄在一個巨人的手中，也不知怎樣求生，如何尋死。唯一的盼望便是北平的來信。——最先收到的，仍是慧修的信：『人生是多艱的。你現在可以說是開始了這荊棘長途的行旅了。前途眞是不但黑暗而且寒冷。要堅韌而大胆地走下去吧！一樣樣的事實隨在都是你的究竟的試煉，證明。………此後，能于人事的艱苦中多領略一點滋味，於生活的寂寞處多作點工，那是比什麼都要緊，都眞實的。』我反覆地讀了後，是怎樣地嚴肅呵！

但是，那座城對我太生疏了，所接觸的都是些非常 grotesque 的人們幹些非常grotesque的事，而自己又是驟然從溫暖的地帶走入荒涼的區域，一切都不曾預備，所以被冷氣一襲，便弄得手足無措：只是空空地對着幾十本隨身帶來的書籍發呆，而一頁也讀不下去。於是：

—V—

在月夜下僱了一支小艇划到S江心，覺得自己真是一個最貧乏的人了的時候也有；夜半在睡中嚷出『人之無聊，乃至如此』的夢話而被隔壁的人聽見，第二天被他作爲笑談的時候也有；雙十節的下午便飛着雪花，獨自走入俄國書店，買了些文學家的像片，上面寫了些惜別的詞句寄給遠方的朋友的時候也有；在一部友人贈送的叔本華的文集上寫了些傷感的文言的時候也有；雪漸漸地多了，地漸漸地白了，夜漸漸地長了，便不能不跑到山東人的酒店裏去喝他們家鄉的清酒，或在四壁都畫着雅典圖的希臘的Restaurant 裏面 的歌聲舞影中對着一杯檸檬茶呆呆地坐了一夜的時候也有。這樣油一般地在水上浮着，魂一般地在人羣裏跑着：——雖然如此，但有時我也常在冰最厚，雪最大，風最寒的夜裏戴上了黑色的皮帽，披起黑色的外衣，獨自立在街心，覺得自己雖然不曾前進，但也沒有沉淪：於是我就在這種景況裏歌唱出我的『北遊』，於是我就一字字，一行行，一段段地寫了出來寄給我的朋友——寄給我的朋友慧修。

歸終我更認識了我的自己；既不是中古的勇士，也不是現代的英雄，我想望的是朋友，我需要的是溫情：歸終我又不能不離開那座不曾給我一點好處的大都市，而又依樣地回到我的第二故鄉的北平，握住我的朋友慧修的手了。北平，你真是和我的朋友一樣，越久，我同你的話越說不完了，在你的懷中有我的好友，有我思念的女子，我願常常地在你的懷中歡詠：阿爾卑斯山的攀登，萊茵河的夜泛，緩步於古波斯的平原，參禮於恒河兩岸，也許會令人神往吧，但也只有生疏的神往而已，萬分之一也不及你的親切，熨貼。你刮風也好，下雨也好，變成沙漠也好，我總是一樣地在你懷中，因為在你身上到處都有我不能磨滅的心痕脚跡。慧修，你讓我常常在你身邊吧，我不希望任何人對我的讚美，我只願見你向我的微笑，我不願受任何人的批評，我只愛聽你的指責。我常常因為你我是怎樣地驕傲呵，對於那羣只過着浮滑的生活而始終不會受過友情洗禮的 glatte Seele

—VII—

們；我怎樣地應該自慰呵，對於那些需要友情而又不能得到的人們。

朋友，現在我把這死去了的兩年以來從生命裡蒸發出來的一點可憐的東西交給你，我的心中感到意外的輕鬆了。正如一個人死了，把他的尸體交給地，把他的靈魂交給天一樣地輕鬆。

——一九二九，五，九，於北平青雲閣茶樓.

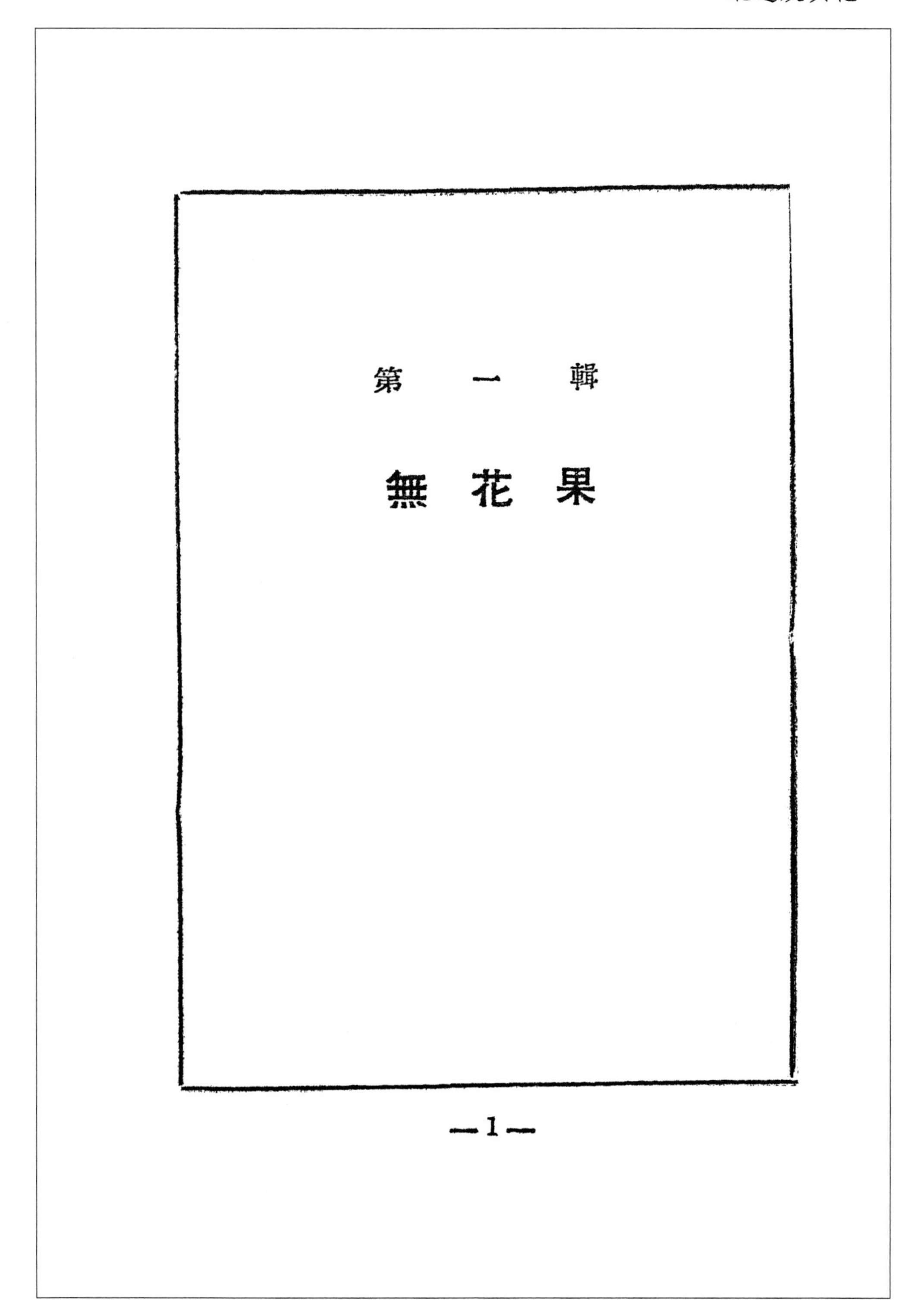

第　一　輯

無 花 果

—1—

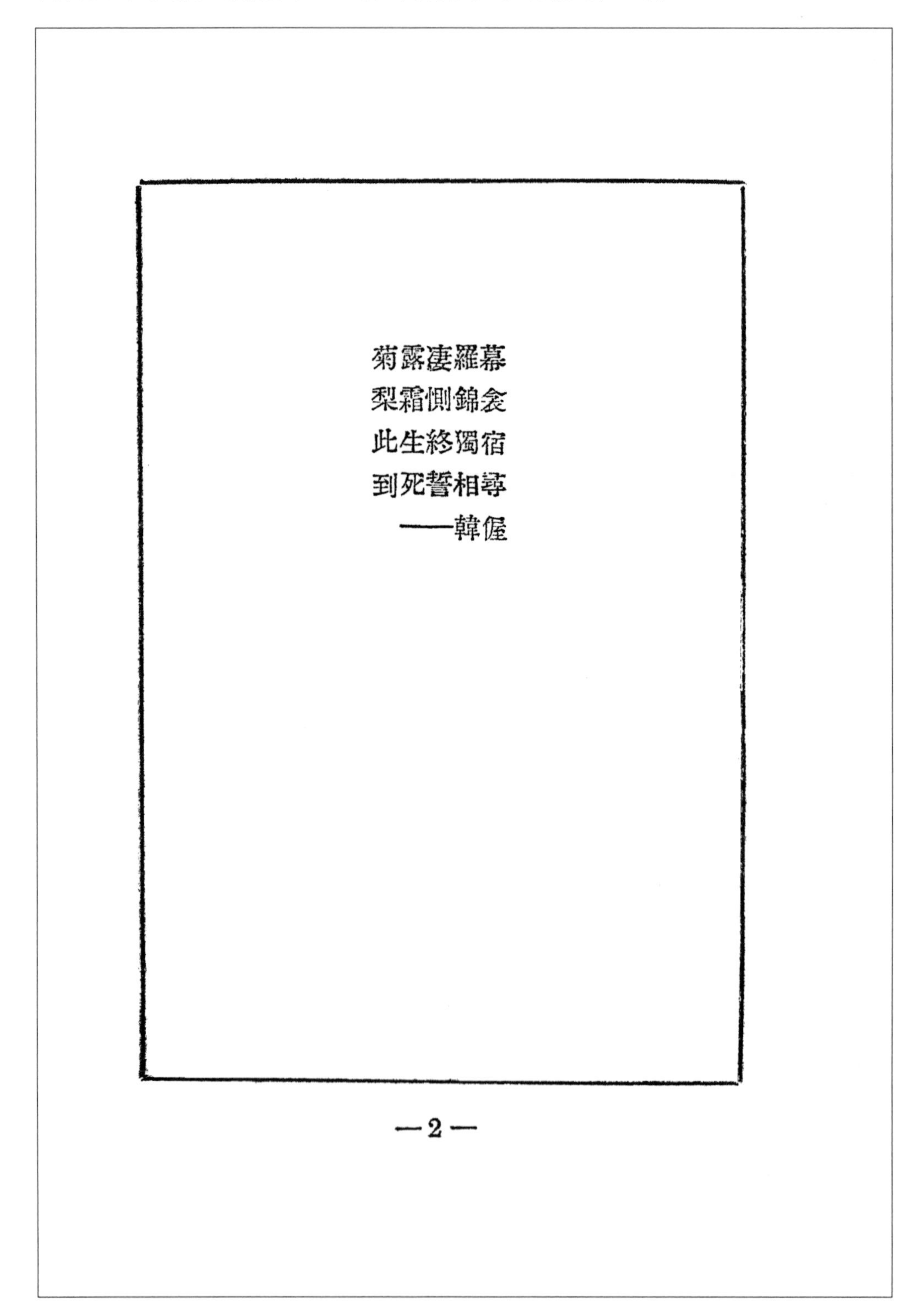

菊露凄羅幕
梨霜惻錦衾
此生終獨宿
到死誓相尋
——韓偓

無花果…………………………………………… 5
湖濱……………………………………………… 6
蘆葦的歌（譯）………………………………… 8
遲遲……………………………………………12
園中……………………………………………14
我只能…………………………………………15
雪中……………………………………………17
什麼能够使你歡喜？…………………………19
給盲者…………………………………………21
墓旁哀話………………………………………22
橋………………………………………………24
遇………………………………………………25
希望……………………………………………27
飢獸……………………………………………28
自殺者的墓銘…………………………………30
春愁……………………………………………31

從一九二六秋至一九二七夏

—4—

無　花　果

看這陰暗的，棕綠的果實，
牠從不會開過緋紅的花朵，
正如我思念你，寫出許多詩句，
我們却不會花一般地愛過。

若想嘗，便請嘗一嘗吧！
比不起你所喜愛的桃梨蘋果；
我的詩裏也沒有一點悅耳的聲音，
讀起來，會使你的舌根都覺得生澀。

— 5 —

湖濱

眼前閃灼着天國的晴朗，
心裏蘊積着地獄的陰森。
是怎樣一種哀凉的情緒，
把我引到了這夜半的湖濱——
凝聚着這樣深沉的衷曲，
是這樣一座寧靜的湖心。

世界呀，早已不是樂園，
人生是一所無邊的牢獄：
我日日夜夜地高築我的獄墻，
我日日夜夜地不能停息——
我却又日日夜夜地思量，
怎樣才能從這獄中逃去？

心裏的火，熊熊地燃起，
眼前的光又點點地逼近；
牠們也不肯隨着落月銷沉，
縱使我把滿湖的湖水吸盡——
『朋友，你且不要焦悶，
來日啊，還有更强烈的燒焚！』

* * *

蘆葦的歌

譯 N. Lenau 詩

薄日向着那邊辭去，
疲倦的白晝已經睡寢。
這裏的弱柳垂入平池，
這樣地寂靜，這樣幽深。

我却須離開了我的愛人：
流吧，淚珠兒，如雨漣漣！
這裏哀惋地柳葉盈盈，
風中震蕩着，震蕩着蘆管。

你天涯的人兒！明亮地，輕柔地，
閃照我寂靜的，深沉的苦惱，
彷彿長庚的星像閃鑠着
透過了葦叢，穿過了柳梢。

* * *

陰晤了，陰雲都聚攏來，
雨滴也點點地迸落，
風聲如訴地哀鳴：
『池沼啊，何處是你的星光鑠鑠？』

尋求那消滅了的星光，
深深地在這激盪的湖裏。
你的愛再也不微笑着
俯向我深痛的衷曲！

* *
*

在那幽僻的林徑，
我願緩緩地步着斜陽，
傍着荒凉的葦岸，
思念着你呀，我的姑娘！

若是那林叢轉爲陰鬱，
蘆管微響着充滿了神秘，
哀哀地訴，低低地語，
必致使我呀，哭泣，哭泣。

我髣髴聽見了你的嬌音
在那兒輕輕地浮漾，
並且在池中沈沒了
你可愛的，可愛的歌唱。

* *
*

在那寧靜的池面，
滯留着美好的月光，
牠蒼白的玫瑰編纒着
在蘆葦碧綠的花冠上。

麋鹿遊耍在山崗，
向茫茫的夜中翹望，
在蘆葦的深處時時地
飛禽們夢一般地動蕩。

我的目光噙淚低沉；
一個甜美的相思呵，
像是寂靜的夜禱，
穿透了我最深的靈魂！

* * *

遲　遲

落日呀，再也沒有片刻的淹留，
夜已經趕到了，在我們身後。
萬事怱怱地，你能不能答我一句?
我問你——
你却總是遲遲地，不肯開口。

淚從我的眼內苦苦地流；
夜已經趕過了，趕過我的眉頭。
牠把我的面前都給淹沒了:
我問你——
你却總是遲遲地，不肯開口。

現在呀，無論怎樣快快地走，
也追不上了，方才的黃昏時候。
歧路上是分開呢，還是一同走去？
我問你——
你却總是遲遲地，不肯開口。

* *
*

園　　中

你怎麼就不肯
抬起頭兒看一看，
滿牆上濃紅的薜荔，
——用血染就的相思！

你怎麼也不肯
低下頭兒看一看，
滿地上黃葉乾枯，
——愛情到了這般地步！

* *
*

我　只　能………

我只能爲你歌唱，
歌唱這音樂的黃昏——
它是空際的游絲，
它是水上的浮萍，
它是風中的黃葉，
它是殘絮的飄零：
輕飄飄，沒有愛情，
輕飄飄，沒有生命！

我也敢向你敍說，
敍說這夜半的音樂——
拉琴的是窗外的寒風，
獨唱的我心頭的微跳，
沒有一個聽衆，
除了我眼兒睜睜的魂靈：
死沉沉，沒有愛情，
死沉沉，沒有生命！

—15—

我最怕爲你想起，
那正午的一套大曲——
有紅花，有綠葉，有太陽，
有希望，有失望，有幻想，
有墳墓，有婚筵，
有產生，有死亡：
歡騰騰，都是愛情，
歡騰騰，都是生命！

* *
*

雪　中

感謝上帝呀，畫出來這樣的畫圖，
在這寂寞的路旁，畫上了我們兩個；
雪花兒是夢一樣的繽紛，
中間更添上，一道僵死的小河。

我懷裏是灰色的，歲暮的感傷，
你面上却浮蕩着緋色的春光——
我暗自思量啊，如果畫圖中也有聲音，
我心裏一定要迸出來：『親愛的姑娘！』

你是深深地，懂得我的深意，
你却淡淡地，沒有一言半語；
一任遠遠近近的有情無情，
都無主地，飄蓬在風裏雪裏。

—17—

最後我再也忍不住這樣的靜默，
用我心裏惟一的聲音，把畫圖撕破！
雪花兒還是夢一樣地迷濛，
在迷濛中，再也分不清楚你我。

* *
*

什麽能够使你歡喜？

你怎麽總不肯給我一點笑聲，
到底是什麽聲音能够使你歡喜？
如果是雨啊，我的淚珠兒也流了許多；
如果是風呢，我也嘗秋風一般地歎氣：
你可眞像是那古代的驕傲的美女，
專愛聽裂帛的聲息——
啊，我的時光本也是有用的彩綢一匹，
我爲着期待你，已把牠扯成了千絲萬縷！

—19—

你怎麼總不肯給我一點笑聲，
到底是什麼東西能够使你歡喜？
如果是花啊，我的唇也是花一般地開着；
如果是水呢，我的眼睛也不是一灣死水：
你可眞像是那古代的驕傲的美女，
專愛看烽火的遊戲——
啊，我心中的烽火早已高高地爲你燃起，
燃得全身的血液奔騰，日夜都不得安息！

* *
*

給 盲 者

朋友呵，請你為了我
不要再抱怨你那黑暗的運命，
不要說，你的面前只有黑暗的人生。
我願拿我的不幸來勸慰你，
因為我的面前是個永久的，
永久黑暗的愛情。

黑暗的人生在你的絃上
你能讓它花兒一般地開落，
你能從它的悲哀裏彈出來一些兒歡樂；
我黑暗的愛情却總是陰沉，——
也沒有一縷的聲音
和一絲的顏色………

* *
*

—21—

墓旁哀話

母親，擁抱你可憐的兒子吧，
可憐他人生的途程是這樣地短促，
他終於回來了，回到你的墳墓。
你知道嗎，那邊還另有一個母親，
她同你是一樣地典雅，美麗；
她的女孩同你的兒子却是那樣地不同：
　　驕傲地，永久地，
　　走着她平坦的大路！

可憐你這沒有生命的兒子吧，
他曾在幼年的夢中，青春的園圃，
期待着那女孩的溫存的一顧；
如今啊，她風似地從他身邊吹過了，
只空空地把夢同青春都給他吹去——
他是着遍了傷痕的死葉一般，
　　悽悽地，冷冷地，
　　落到了你的墳墓。

『孩兒，想不到你回來是這樣地早！』
唉，你的兒子他那能自主，
人世再也不容他片刻的居住。
『你好好地坐在母親的墓旁吧，
這一番的期待不能再騙你：
只要你耐心地期待着，她終會有一天，
　　蒼茫地，顫顫地，
　　走近你冰冷的胸脯！』

* *
*

橋

『你同她的隔離是海一樣地寬廣。』
『縱使是海一樣地寬廣啊，
我也要日夜搬運着灰色的磚泥，
在海上建築起一座橋樑。』

『百萬年恐怕這座橋樑也不能築起。』
『但我願在幾十年內搬運不停——
不然，空教我悵望着彼岸的奇彩，
我怎能度過這樣長，這樣長久的一生！』

* * *

遇

你驟然地把脚步停慢，
啊，怎麼會遇見了
在這狹小的路邊！
你心裏說，這不是鬼嗎？
我也默祝，但願這不是人間！

我的人間那有那樣的事體——
在我的面前
又吹來了一縷微風，
吹來你髮裏的微香，面上的輕笑，
吹來了你花兒一般地顫顫驚驚。

—25—

絕沒有襟的事體，
在我的人間；——
上帝只許我一人
順着窄狹的小路
踽踽凉凉地獨自逡巡。

我們只當是並不曾遇見，
請都快快地走過！
我們是棋子一般
被支配在上帝的手中；——
他怎麼又走錯了一遍！

*　*
*

希　望

在山丘上松柏的蔭中
輕睡着一個舊的希望。
正如松柏是四季長青
希望也不曾有過一番夢醒……
牠雖是殘廢的野獸一般
無力馳驅於四野的空曠，
我却願長久地緩步山丘
撫摸着這輕睡的舊的希望。

*　*
*

—27—

飢　獸

我尋求着血的食物，
風狂地在野地奔馳。
胃的飢餓，血的缺乏，眼的渴望，
使一切的景色都在我的前面迷離。

我跑上了高山，
盡量地向着四方眺望；
我恨不能化作我頂上的蒼鷹，
因爲它的視線比我的更寬更廣。

我跑到了水濱，
我大聲地呼號；
水的彼岸是一片沙原，
我飢荒的靈魂正好在那沙原上邊奔跑。

我跑入森林裡迷失了出路，
我心中是如此疑猜——
縱使沒有一件血的食物被我尋到，怎麼
也沒有一隻箭把我當作血的食物射來？

* *
*

—29—

自殺者的墓銘

人已經沉入溫柔的海底，
墓銘呢，只好遠遠地寫在天邊；
這是死者的心意，
越遠越好，離掉了人間！

墓銘遠遠地寫在天邊，
俗人們的眼睛那能看見，
只是呀，如有第二個聰明人，
『歡迎』二字便在天邊出現。

歡迎的呼聲充滿了溫柔的海浪，
歡迎的墓銘寫遍了遠遠的天邊：
『來呀，追求你永久的夢想，
越遠越好，離掉了人間！』

*　　*
*

春　　愁

淚珠潤去了，你面上的鉛華，
像暮雨洗却了，那天外的紅霞；
死滅的電燈，也彷彿在照着你的面龐，
陰陰的霧雨，渲染着全市的昏黃。
雨絲，電綫，織成稠稠密密的網，
我們的情愛有如兩隻無力的蒼蠅，
嚶嚶地，嚶嚶地，被黏在這無邊的網上。

樓窗外，一片土紅色，鉛板的房頂，
把全市民的悲歡，蓋得這般平穩！
到處是疲倦的聲音，憔悴的顏色，
陰濕同寒冷，讓我們深深地咀嚼——
異鄉的女子呀，你的心房眞是一座病院；
我可能長此睡在當中，作一生
哀苦的呻吟，熱狂的夢幻？

*　　*
*

—31—

—32—

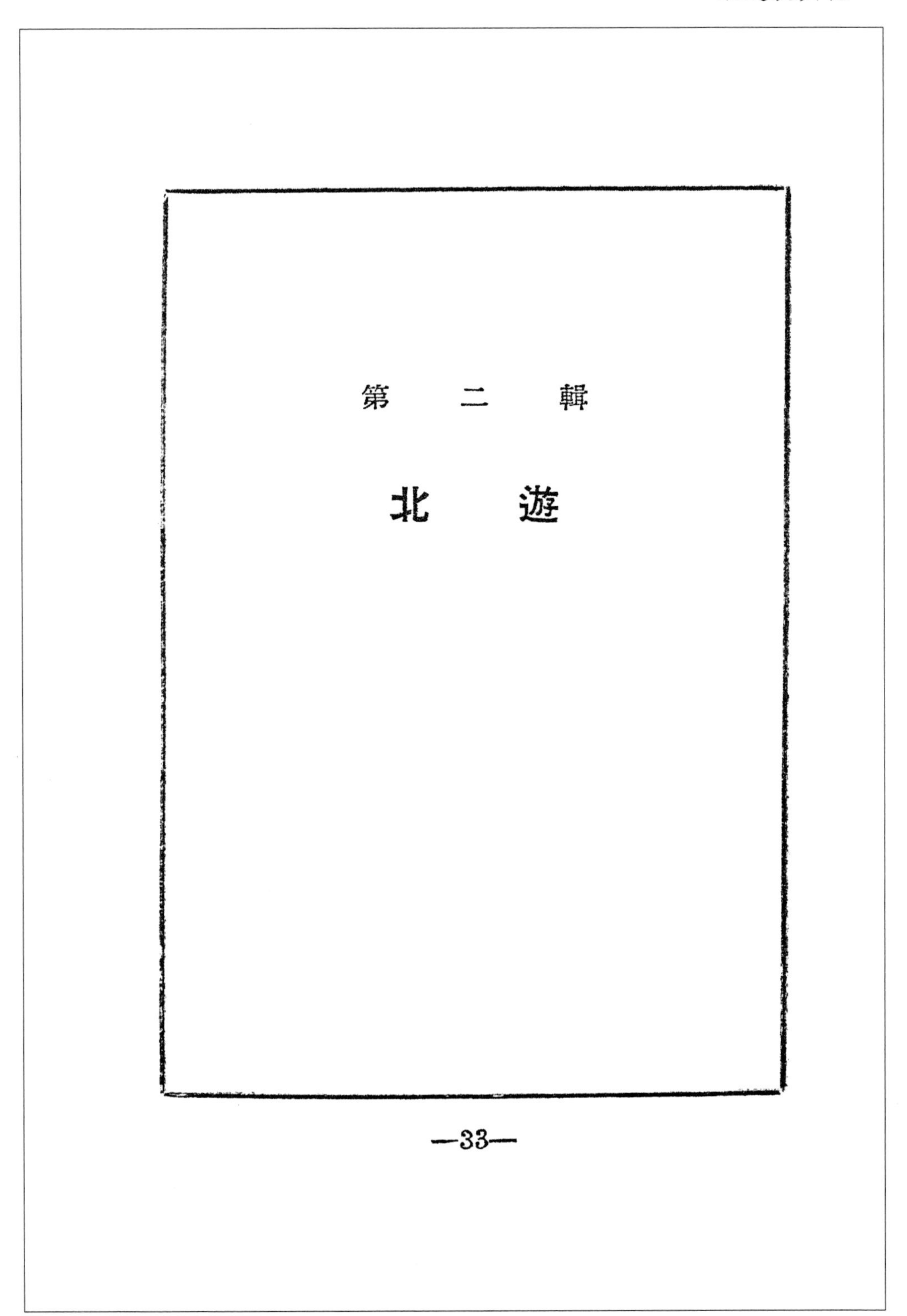

第　二　輯

北　遊

—33—

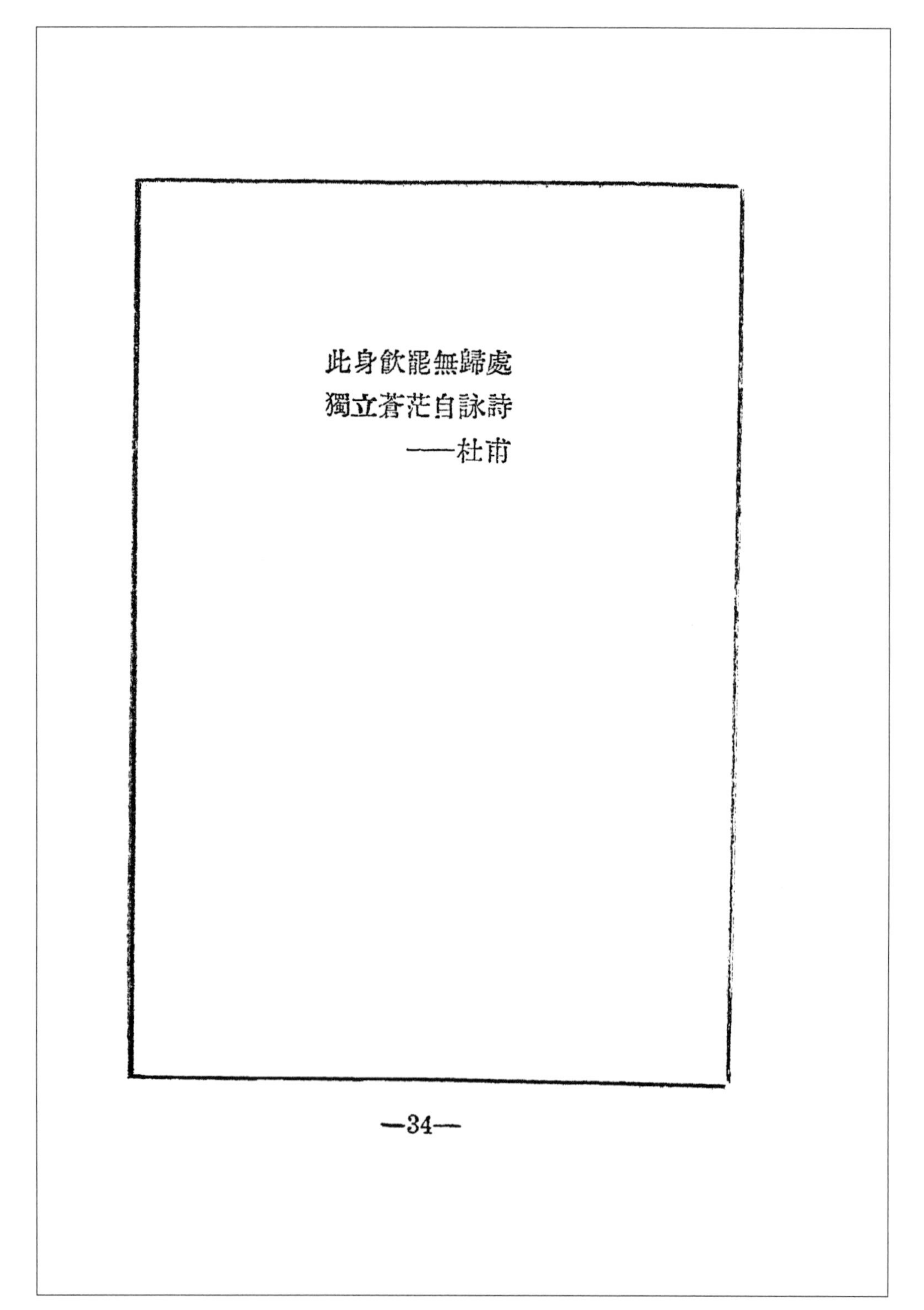

此身飲罷無歸處
獨立蒼茫自詠詩
——杜甫

北遊 ·· 37
1.··37
2.別··39
3.車中······································41
4.哈爾濱····································44
5.在公園····································46
6.Café······································49
7.中秋······································52
8.禮拜堂····································57
9.秋已經····································60
10.『Pompiji』 ································62
11.追悼會····································65
12.『雪五尺』··································67

一九二七冬

北　遊

『………他逆着凜烈的夜風，上了
走向那大而黑暗的都市，卽人性和
他們的悲痛之所在的艱難的路。』
——望譪覃：小約翰

1.

歧路上徬徨着一些流民歌女，
疏疏落落地是淒冷的歌吟；
人間啊，永久是這樣窮秋的景像，
到處是貧乏的沒有滿足的聲音。
我是一個遠方的行客，惴惴地
走入一座北方都市的中心——
窗外聽不見鳥聲的啼喚，
市外望不見蔚綠的樹林；
街上響着車輪軋軋的音樂，
天空點染着工廠裏突突的濃雲：

—37—

一任那冬天的雪花紛紛地落，
秋夜的雨絲洒洒地淋！
人人裹在黑色的外套裹，
看他們的面色吧，陰沉，陰沉………

*　　*
*

2. 別

我離開那八百年的古城，
我離開那裏的翠柏蒼松，
那裡黃色的琉璃瓦頂，
同那卍字欄杆的小亭——
我只想長久地同牠們告別，
把我身體委託給另外的一個世界，
我明知我這一番的結果，
是把我的青春全盤消滅。
臨行時只思念着一個生疏的客人，
他曾經抱着寂寞遊遍全世，
我願意叫他一聲我的先生，
我願聽他為我講述那寂寞無言的經歷——
猛抬頭，一條小河，水銀一般，
宛宛轉轉地漂來了蓮燈一盞，
今夜的月色怎麼這樣地羅曼，
啊，是我忘掉了，忘掉了的中元！
我恨不能從我的車窗跳下，

我恨不能把蓮燈捧在胸前——
月光是這樣地奪靜，空幻，
那容我把來日的命運仔細盤算！
我只想把那蓮燈吻了又吻，
把燈上的火焰吞了還吞，
牠彷彿是誰人的派遣，
對我的生命顯出幾分殷勤——
終於呀，蓮燈向着遠方漂去
火車載我走入了一座樹林；
寂寞無言的先生好像對着我的面前微笑，
他微笑的情調啊，陰沉，陰沉……

*　*
*

3. 車　　中

我昏昏地倚靠着車窗，
把過去的事草草地思量——
回頭看那是一片荒原，
荒原裏可曾開過一朶花，湧過一次泉？
我昏昏地倚靠着車窗，
把將來的事草草地思量——
前面看是嵯峨的高山，
可有一條狹徑讓我走，一棵樹木供我攀？
我在這樣別離的景況當中，
可眞是同我的『少年』分了手——
再也沒有高高的城樓供我沉思，
再也沒有古松的蔭凉供我飲酒；
如今的荒野裏只有久經風霜的老槐，
他不住地嘲笑着滿車裏孤另的朋友。

月亮圓圓地落，
曉風陣陣地吹，

這時地球眞在騣騣地轉，
車輪不住促促地催。
秦皇島讓我望見了一灣的海水，
山海關讓我望見了一角的長城；
旣不能到海中央去隨着海鷗飛沒，
也不能在萬里長城上望一望那萬里途程：
忽忽地來，促促地去，什麼也不能把定，
忽忽地來，促促地去，忽促的人生！

我從那夏的國裏，
漸漸地走入秋天，
冷雨凄凄地洒，
層雲疊疊地添。
水邊再也沒有那依依的垂柳，
四野裏望不見蔚綠的蒼松，
在我的面前有兩件東西等着我：
陰沉沉的都市，暗淡淡的寒冬！
沉默籠罩了大地，
疲倦壓倒了滿車的客人——
誰的心裏不隱埋着無聲的悲劇，

誰的面上不重疊着幾縷愁紋，
誰的腦裏不盤算着他的希冀，
誰的衣上不著滿了征塵：
我彷彿也沒有悲劇，沒有希冀，
只是呆呆地對着車窗，陰沉，陰沉……

* * *

4. 哈爾濱

聽那怪獸般的摩托，
在長街短道上肆意地馳跑，
瘦馬拉着破爛的車，
高伸着脖子嗷嗷地呼叫。
蘇俄，白俄，烏克蘭，
猶太的銀行，希臘的酒館，
日本的浪人，
高麗的妓院，
都聚在這不東不西的地方，
吐露出十二分的心足意滿！
還有那中國的同胞，
面上總是淫淫地嘻笑——
姨太太穿着異樣的西裝，
紙糊般的青年戴着爪皮小帽，
太太的脚是放了還纏，
老爺的肚子是豬一樣地肥飽：
在他們幸福的面前，

滿街都洒遍了金銀，
更有那全身都是毒菌的妓女，
戴着碗大的紙花搖蕩在街心！
我像是遊行地獄，
一步比一步深——
我不敢望那欲雨不雨的天空，
天空一定充滿了陰沉，陰沉…………

* *
*

5. 在 公 園

商店裏陳列着新鮮的貨色，
酒館裏沸騰着煙酒的奇香，
我彷彿在森林裏迷失了路逕，
『朋友啊，你可願在這裏長久埋葬？』——

我戰兢兢走入公園，
滿園裏刮遍了秋風，
白楊的葉子在夕陽裏閃，
我立在這夕陽閃灼的當中：
園外是車聲馬聲，
園內是笑聲歌聲，
我盡量地看，盡量地聽，
終歸是模糊不定，隔了一層。
我憶起我的童年，
和宇宙是怎樣地擁抱，親愛，
我能敎月姑娘的眉兒總是那樣地彎，
我能敎太陽神的車輪不要那樣地快！
現在呀，一切都同我疏遠，

無論是日升月落，夏去秋來：
黃鸝再不在我的耳邊鳴囀，
昏鴉遠遠地爲我鳴哀！

一切都糢糊不定，隔了一層，
把『自然！』呼了幾遍，把『人生！』叫了幾聲！
我是這樣地虛飄無力，
何處是我生命的途程？
我思念，
世紀末的詩人——
用美人的吻來潤澤他們的焦唇，
用辛辣的酒漿灌溉他們憔悴的靈魂。
我呀，靈魂憔悴，唇已焦燥，
無奈我的面前美人也不美，醇酒也不醇。
我愛護，
那樣的先生——
他能沉默而不死，
永久作一個無名的英雄。
但是呀，我又怕在沉默中死去，
無名而不是英雄。

—47—

我崇拜，
偉大的精靈——
使我們人類跌而復起，
使我們人類死而復生，
我們倚仗他不與草木同腐，
風雨後他總給我們燃起一盞明燈。
無奈呀我的力量是那樣衰弱，
風雨裏我造不出一點光明。
我羨慕，
爲了熱情死去的少女少男——，
在人的心上，
留了些美的憶念：
啊，我一切都不能，
我只能這樣呆呆地張望——
望着市上來來往往的人們，
各各的肩上担着個天大的空虛，
各各的肩上担着個天大的空虛，
比外便是一望無邊的陰沉，陰沉……

* *
*

6. Café

漫漫的長夜，我再也殺不出這漫漫的重圍，
我想遍了死的方法和死後的滋味；
多少古哲先賢不能給我一字的指導，
他們同我可是一樣地愚昧？
——已經沒有一點聲音，
啊，窗外的雨聲又在我的耳邊作祟！

去，去，披上我的外衣，
不管是風怎樣暴，雨是怎樣狂！
那怕是墳地上的鬼火呢，
我也要尋出來一粒光芒！

街燈似乎都滅了，
滿路上都是濘泥：
我的心燈就不會燃起，
滿心裏也是濘泥——
路上的濘泥會有人掃除，

心上的濘泥可有誰來整理!

我走入一座 Café,
裡邊炫耀着雜色的燈罩,
沒有風也沒有雨了,
只有露西亞的小曲伴着簡單的音樂。
我望着那白衣的侍女是怎樣蒼茫,
我躲避着她在沒有人的一角;
她終於走到我的身邊,
我終於不能不對她微笑!
『深深的酒杯,深深地斟,
深深的眼睛,深深地想——
除去了你的肩頭,
我的手已經無處安放。
異鄉的女子,我來到這裏,
並不是爲了酒漿,
只因我心中有剷不盡的濘泥,
我的衣袋裏有多餘的紙幣一張!』
我望着她一副不知愁的面貌,
把酒漿不住緩緩地斟,

我的心中並不曾感到一點輕鬆，
只是越發加重了，陰沉，陰沉……

* *
*

7. 中　秋

中秋節的夜裏，家家都充滿了歡喜，
到處是麻雀牌的聲息，
男的呼號，女的嘻笑，
大屋小室都是惡劣的煙氣；
鑼鼓的喧惡振破了九層的天，
鷄鴨的殘骸扔遍了這無邊的大地。
工人，買辦，投機的富豪，
都是一樣地忘掉了自己——
不知道他們的背後有誰宰割，
不知道他們的運命握在誰的手裏？
女人只看見男子衣袋中裝着的金錢，
男子只知道女人衣裙裏裹着的肉體。

我也參加了一家的宴會，
一個赭色面龐的男子向我呼叫：
『朋友啊，你來自北京，
請爲大家唱一齣慷慨淋漓的京調！』

我含笑無語地謝絕了他，
我含笑無語地離開了這座宴席——
我走出那熱騰騰的蒸鍋，
冰冷的月光澆得我混身戰慄！
我望着明月遲遲自語，
我到底要往那里走去？

松花江上停泊着幾隻小艇，
松花江北的北邊，該是什麼景像——
那是蒼茫的西伯利亞大陸，
風雪的故鄉！
那裏的人是怎樣地在風雪裏掙扎，
爲了全人類作那勇敢的實驗；
這裏的人把豬圈當作樂園，
讓他和他的子孫都同歸腐爛！

正如一人泳在大海裡，
一任那波浪的浮沉，
我坐在一隻小艇上，
牠把我載到了江心——

我像是一個溺在水裡的兒童，
心知這一番再也不能望見母親，
隨波逐流地，意識還不曾消去
還能隱隱地望見岸上的鄉村——
在那濃蓊的林中，
曾經期待過妖美的花精，
在那泥紅的牆下，
曾經聽過寺院裏的鐘聲：
一扇扇地閃在他幼稚的面前，
他知道前面只是死了，沒有生！
我只是想就這樣地在江心沉下，
像那天邊不知名的一個流星，
把過去的事想了又想，
把心脈的跳動聽了還聽——
一切的情，一切的愛，
都風吹江水，來去無踪！

生和死，同是一樣地秘密，
一種秘密的環把牠們套在一起；
我在這秘密的環中，

解也解不開，跑也跑不出去。
我望着月光化作輕煙，
我信口唱出一些不成腔調的小曲：
這些小曲我不從何處學來，
也不知要望那兒唱去！

我望着寧靜的江水，拊胸自問：
我生命的火焰可曾有幾次燒焚？
在這幾次的燒焚裏，
可曾有一次燒遍了全身？
二十年中可有過超越的歡欣？
可經過一次深沉的苦悶？
可曾有一刻把人生認定，
認定了一個方針？
可眞正地讀過一本書？
可眞正地望過一次日月星辰？
欺騙自己：我可曾眞正地認識
自己是怎樣地一個人？
我全身的血管已經十分紊亂，
我腦裏的神經也是充滿糾紛：

—55—

低着頭望那靜默的江水，
死一樣地，陰沉，陰沉……

*　　*
*

8. 禮 拜 堂

我徘徊在禮拜堂前，
上帝早已失却了他的莊嚴。
夕陽裡的鐘聲只有哀惋，
彷彿說，『我的榮華早已消散！』
鐘聲啊，你應該回憶，
回憶那幾百年前的情景——
那時誰聽見你的聲音不動了他的心，
誰聽見你的聲音不深深地反省：
老年人聽見你的聲音想到墳墓，
少年人聽看你的聲音想到他事業的前程，
慈母抱着幼兒聽見你的聲音，
便畫着十字，『上帝呀，保佑我們！』
還有那飄流的遊子，
尋求聖蹟的僧人，
全憑你安慰他們，
他們的孤寂，他們的黃昏！——
如今呀，那些人似乎已經尋到了

另外的一個道理，
你旣不能增長他們的悲哀，
也不能助成他們的歡喜：
更有人要把你鎔化，
（看你是他們的仇敵，）
另鑄就一把鋤頭，
去到田間耕地——
你躲在這無人過問的，世界的一角，
發出來這無人過問的，可憐的聲息！

我徘徊在禮拜堂前，
巍巍的建築好像化作了一片荒原。
乞丐拉着破的Violin，
向着來往的行人乞憐。
忽然喉嚨顫動了，
伴着琴聲，顫顫地歌唱……
凋零的朋友呵，我有什麼勇氣，
把你的運命想一想：
你也許曾經是人間的驕子，
時代的潮流把你淘成這樣——

你也許是久經戰場的壯兒，
一旦負了重傷——
你也許爲過愛情煩惱——
你也許爲過眞理發狂——
一串串的疑問在我的心裏想，
一串串的疑問在你的唇邊唱。
一團團運命的啞謎，
想也想不透，唱也唱不完…
………………………………
………………………………
啊，這眞是一個病的地方，
到處都是病的聲音——
天上那裏有彩霞飛翔
只有灰色的雲霧，陰沉，陰沉……

* * *

—59—

9. 秋已經……

秋已經像是中年的婦人，
為了生產而憔悴，
一帶寒江有如她的玉腕，
一心要挽住那西方的落日的餘暉。
東方遠遠地似霧非煙，
遮蓋了她的愁容，遮沒了她的雙肩，
她可一心一意地夢想，
夢想她那少年的春天！
她終於挽不住那西方的落日，
却挽住了我的愛憐，
我們吻着，絕沒有温暖的情味，
無非是彼此都覺到了衰殘。
但是秋啊，你也曾經開過花，
你也曾經結過果，
我的花兒可曾開過一朶，
我的果子可曾結過一個？

從此我夜夜嘆息，
伴着那雨聲霖霖……
從此我朝朝落淚，
望着那落葉紛紛……
從此我在我的詩册上，
寫遍了，陰沉，陰沉……

* *
*

10.『Pompeji』

夜夜的夢境像是無底的深淵，
深沉着許許多多的罪惡——
朝朝又要從那深淵裡醒來，
窗外的啓明星搖搖欲落！
一次我在夢的深淵裏
走入了Pompeji 的故墟——
摸索着牠榮華的遺迹，
彷彿也看見了那裡賣花的女子：
淡紅的夕陽淹淹，
伴着我短嘆長嘘！
這次的醒來，夜還不曾過半，
我聽那遠遠的街心，
乞兒的琴絃還沒有拉斷。

我懷念着酒池肉林的 Pompeji 城，
坐在一家地窖的酒館裏，

酒正是一杯一杯地倒，
女人們披着長髮，裸着身體。
『喝酒吧！跳舞吧！
只有今宵，事事都由我們作主——
把燈罩染得血一樣地紅，
把燭光燃得鬼一樣地綠！
明天哪，各人回到各人的歸宿，
這裏自然會成了一座墳墓！』
聽這沉鬱的歌聲，
分明是世界末日的哀音——
一團團煙氣繚繞，
可是火山又要崩焚？
崩焚吧，快快崩焚吧！
這裏的罪惡比當年的Pompeji還深：
這裏有人在計算他底妻子，
這裏有人在欺騙他的愛人，
這裏的人，眼前只有金銀，
這裏的人，身上只有毒菌，
在這裏，女兒詛咒她的慈母，
老人在陷害着他的兒孫；

—63—

這裡找不到一點實在的東西，——
紙作的花，胭脂染紅的嘴唇！
這裡不能望見一粒星辰，
這裡不能發現一點天眞。
我也要了一杯辛辣的酒，
一杯杯澆滅我的靈魂；
我旣不為善，更不作惡，
懺悔的淚珠已不能滴上我的衣襟！
我同這些青年，舞女，都融在一起，
大家狂跳吧，在這宇宙間最後的黃昏！
快快地毀滅，像是當年的Pompeji ，
第一個該毀滅的，是我這個遊魂！
明天呀，一切化作殘灰，
日月也沒有光彩，陰沉，陰沉……

* *
*

II. 追 悼 會

不知不覺地，樹葉都已落盡，
日月的循環，在我已經不生疑問；
我只把自己關在房中，空對着
那『死室回憶』的作者的像片發悶。
忽然初冬的雪落了一尺多深，
似乎接到了一封遠方的音信：
牠從沉睡中把我喚醒，
使我覺得我的血液還在循環，
我的生命也彷彿還不曾凋盡！

松花江的兩岸已經是一片蒼茫，
分明是早晨的雪，却又像是夜月的光，
我望不見岸北的樓台，
也望不清江上的橋樑，
空望着這還未結冰的江水，
『這到底是什麼地方？』
『你可不知道嗎，
你可是當眞地忘記？

—65—

這里已經埋葬了你一切的幻夢，
在那回中秋的夜裡：
你看這混混不息的江水，
早已把牠們帶入了海水的濤浪——
望後你要怎麼樣，
你要仔細地思量；
不要總是呆呆地望着遠方，
不要只是呆呆地望着遠方空想！』
啊，今天的宇宙，誰不是白衣白帽？
天空是那樣地嚴肅，
雪神在迴環地舞蹈……
原來他們為了我
作一番痛切的追悼！

這裡埋葬了我的的奇珍，
我再也不敢在這裡長久逡巡；
在這樣的追悼會裏，
空氣是這樣地，陰沉，陰沉……

* *
*

12.『雪　五　尺』

此後我的屋窗便結住了冰霜，
我的心窗也透不進一點新的空氣，
我像是一條灰色的蛇，
一動也不動地入了冬蟄——
『朋友啊，你這一月像老了一年——』
『老並不怕；我只怕這樣長久地睡死！』
此後的積雪便鋪滿了長街，
日光也沒有一點融解的熱力，
我竟像是那街上的積雪，
一任那運命的脚步踩來踩去——
『朋友啊，你這一月像老了一年——』
『老並不怕；我只怕這樣長久地睡死！』

夜半我走上了一家小樓，
我訪問一個日本的歌女——
只因我忽然想起一茶：
『嘜，這是我終老的住家嗎？——雪五尺！』

這時的月輪像是瓦斯將滅，
朦朦朧朧地彷彿在我的懷內銷沉；
這時的瓦斯像是月輪將落，
懷裡，房裡，宇宙裡，陰沉，陰沉……

*　*
*

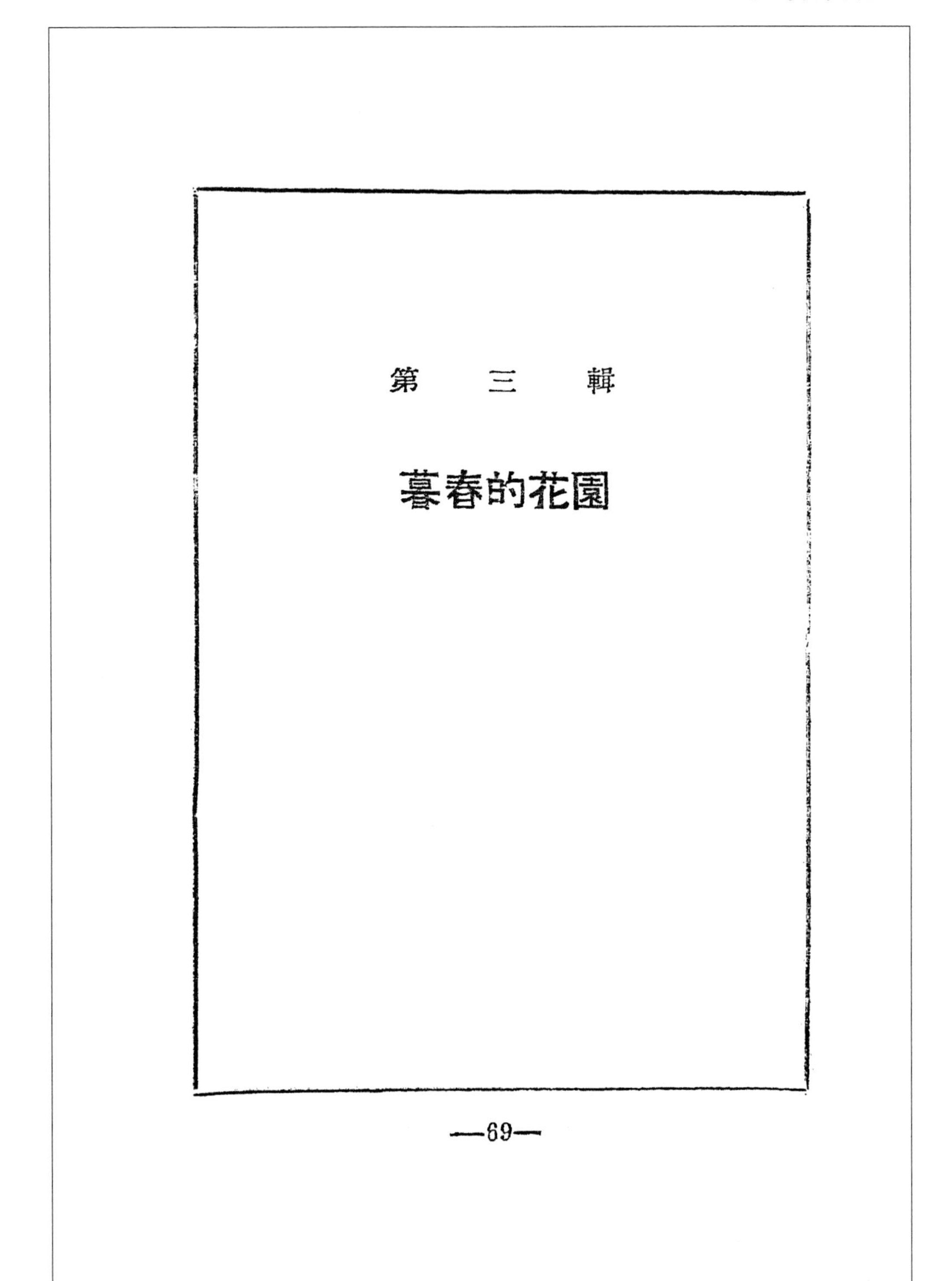

第　三　輯

暮春的花園

Du führtest mich zu den verwunschnen talen
Von nackter helle und von blassen düften
Und zeigtest mir von weitem wo aus grüften
Die trübe liebe wachst im reif der qualen.

——STEFAN GEORGE

黃昏……………………………………………………73
十四行詩(譯)……………………………………………77
一盆花………………………………………………79
艱難的工作…………………………………………80
聽——………………………………………………83
思量…………………………………………………85
思量…………………………………………………87
夜半…………………………………………………89
晚步…………………………………………………91
花之朝………………………………………………92
月下歡歌……………………………………………93
暮春的花園…………………………………………97
『南方的夜』……………………………………… 101
十字架…………………………………………… 103
秋(譯)…………………………………………… 104
我的愛人(譯)…………………………………… 105
生命的秋天(譯)………………………………… 108

自一九二八秋至一九二九夏

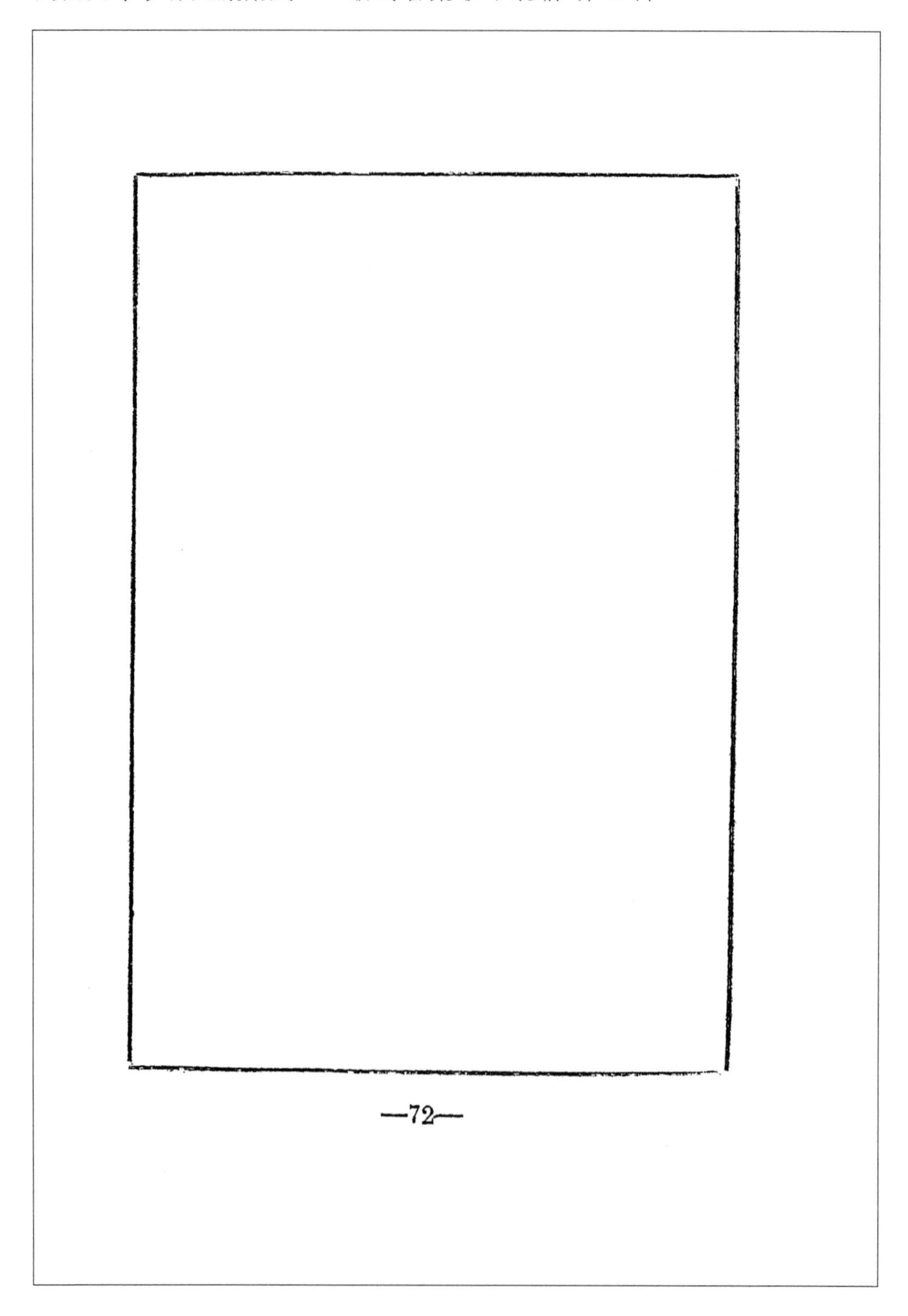

—72—

黃　　昏

我不知我從什麼地方走來，
在這黃昏裏的路上彷徨。
心內也沒有熱情的歌聲，
腦裡只有些寂靜的思量。
在這古舊的城中的人們，
臉上都顯出十足的人生的經驗。
陰雲低低地壓着我的眉頭，
灰塵深深地浸沒我的脚面。

最懕懃的是那些頑皮的車夫，
總是這樣問我：『先生，要車不要？』
我心內只能夠暗暗地回答——
『我要去的地方你並不能拉到！』
於是我的懷中充滿了悽愴——
我要去的到底是什麼所在？
是不是那豐饒的人生的花園，
但那花園却永久地把我關在門外！

我走過一座書店的門前，
書店的主人和藹地向我招呼：
『請你看這書架上是怎樣地輝煌，
有孔子，有釋迦，還有耶穌；
只要你化去少數的銀錢，
便不難買到你一生走不盡的途程。』
我想，人間當眞有這樣平穩的事體，
爲什麼人人的靈魂還是不得安寧？

煙捲公司裏也走出一個聰明的少年——
『 黃昏的行人，請你買一支香煙！
古代的人同着美人接吻，
近代的人拿香煙當作晚餐。』
我說：『謝謝你，我並不吝惜；
我只怕在很短的時間內把牠吸完——
一半化作青煙，一半變成灰燼，
令我想到了我生命的最後的一天。』

『快快地進來吧，路上的人們！』
一位老人守着他那陳年的老酒——
『只要你們肯深深地飲上幾杯，
管保你們今宵有了歸宿！』
如果歸宿是那樣地容易尋求，
我早已不在這兒流着彷徨的眼淚；
如果用酒才能夠不醒，
那麼沒有酒我也能夠沈醉。

—75—

最後的一人挑着一担鮮花——
『年輕的人，你可思念着一個女子？
請你買吧，買我的鮮花一朵，——
數着花瓣兒去測量她的心意：
「她愛我？」「她不愛我？」「她最愛我！」……
看看哪一句是那最後的一瓣：
那麼你就用不着長此遲疑，
你將來的運命也就不難推算。』

我用如夢的眼光望着他，
我癡癡地買了他那瓣兒最多的一朵。
我的心內彷彿又起了波瀾，
腦裏也失却了那些冷靜的思索。
我擎着花兒鵠立在街旁，
這推算運命的遊戲我却不敢開始，
我生怕數到最後一瓣的時節，
那豐饒的花園依然是緊緊地關閉。

* * *

十四行詩

譯 Arvers 詩

生命啊有牠的隱微，靈魂中有牠的神秘，
忽然間一個永久的愛情含孕在我的心裏。
這相思是沒有希望的，我只得默默無語；
並且那使我相思的人兒也未曾知悉。

唉，她永不注意，我走過她的身邊，
我永在她的身邊却永是這樣地孤單，
我一點兒也不曾承受，也一點不敢希盼，
一直耗盡了我的生命在這渺茫的人間。

她呀，她將漫不經心地走着她的道路，——
上帝雖使她這樣地柔愛，她却聽不出
有一縷怨訴的幽情緊緊追隨着她的步奏。

她只忠實於那些嚴肅的女兒的訓規，
更不知她早已塡滿了我苦悶的詩髓，
一旦讀了我的詩，她必問：這個女的可是誰？

* *
*

一盆花

——送給一個獨身的友人——

盆裡的泥土是你生命的苦痛，
愛便是開在泥土上的花朵，
請你好好地把這花兒看護，
不要教牠受了風雨的摧折。

用你滴滴的淸淚灌溉吧，
牠的顏色也不會怎樣地鮮艷；
教牠在已經夠了的水分中
有時呀感到了一些兒不滿。

牠終會很自然地凋謝了，
你再用盆裡的泥土把牠埋葬：
到那時你會鬆鬆地歎了一聲，
感到了一種寂寞的舒暢。

* *
*

艱難的工作

上帝呀給了我這樣艱難的工作——
　　我的夜是這樣地空曠，
　　正如那不曾開闢的洪荒：
他說，你要把你的夜填得有聲有色！
　　從洪荒到如今是如此地久長，
　　如此久長的工作竟放在我的身上。
上帝呀給了我這樣艱難的工作。

上帝呀給了我這樣艱難的工作——
　　我一人是這樣地赤手空拳，
　　我不知何處是工作的開端：
他只說，你要把你的夜填得有聲有色；
　　我如果問何處是工作的開端，
　　他便扳着面孔靜默無言。
上帝呀給了我這樣艱難的工作。

上帝呀給了我這樣艱難的工作——
　　我一人在空曠的夜裏徬徨；
　　我又去同一位朋友商量，
怎樣才能把我的夜填得有聲有色？
　　朋友說，我也完全同你一樣，
　　一樣地爲了這個工作着慌。
上帝呀給了我這樣艱難的工作。

上帝呀給了我這樣艱難的工作——
　　我想利用那過去的人們的成績，
　　我想用山上的白塔將夜塡起；
我一心一意地要從那裡望出一些聲色，
　　但是呀一切都是死沉靜寂——
　　這個工作不容有一些兒頂替！
上帝呀給了我這樣艱難的工作。

上帝呀給了我這樣艱難的工作——
　　我又問了問夜半的風同夜半的河流，
　　吹的吹，流的流，把許多時光帶走：
啊，我什麼時候才能塡滿了聲色？
　　身外的物不容我一點兒請求，
　　我空對着空曠的夜鎖了眉頭。
上帝呀給了我這樣艱難的工作。

上帝呀給了我這樣艱難的工作——
　　九萬里的人們都在睡眠，
　　九萬顆的星星向我無情地眨眼。
終於沒有一縷的聲音，一絲的顏色——
　　沒有開端的工作便已沉入深淵，
　　沒有工作的身軀爲什麼不化作塵烟？
上帝呀給了我這樣艱難的工作。

* *
*

聽——

在我的心房演奏着什麼音樂，
我自己呀也不能說明，
許是深秋的小河同落葉
低吟着一段舊日的深情，
也許是雷雨的天氣
狂叫着風雨和雷霆：
你喜歡的是怎樣的聲息，
只要你，你怎樣地一聽！

—83—

如果你是淡淡的朋友的情緒，
牠哀訴的聲音便充滿了凄淸——
牠說舊日也散布過愛的種子，
可是希望的嫩葉都已凋零……
如果你緊緊地向我的心房挨近，
像一輪烈日照在地上蒸薰，
那麼，風雨雷霆你便不難聽見，
聽出來一片新鮮的宇宙的呼聲。

* *
*

思　量

我要靜靜地靜靜地思量，
像那深潭裏的冷水一樣。
既不是源泉滾滾的江河，
不要妄想啊去灌溉田野的花朵；
又沒有大海的浩波，
也不必埋怨這裡沒有海鷗飛沒。
我要靜靜地靜靜地思量，
像那深潭裡的冷水一樣。
如果天氣轉變得十分陰涼，
自然會有些雨點兒滴在水上；
如果天上現出來一輪太陽，
水面也不難沾惹上一點陽光。
我要靜靜地靜靜地思量，
像那深潭裏的冷水一樣。

—85—

尤其是當那人寂夜闌，
只有三星兩星的微芒落入深潭：
我知道我的一切是這樣地有限，
不要去渴望吧那些豪華的盛筵！
　　我要靜靜地靜靜地思量，
　　像那深潭裏的冷水一樣。

* *
*

思　量

『人間總被思量誤．』

——王國維

有人曾告訴我一句箴言：
事事呀都不要匆忙；
果子總會有成熟的那天，
早熟絕不是好的現象！

我自從見了她的面，
她便促去了我一切的思量——
每分鐘我的心房跳動多少遍，
總離不開：
我為她應該怎樣，怎樣，怎樣……？

我思量，心裡種上了種子；
我思量，種子發出來嫩芽；
我思量，嫩芽長成了樹木；
我思量，樹木開遍了紅花；
我思量，紅花結成了綠果：
在這樣思量中踱過去那又盲又啞的年華。

等到啊，我把這思量出來的果子放在口裏嘗一嘗，
卻只是說不出的幻夢一場！

看吧，在我所能走到的世界裡，
她早已沒有了一些兒蹤跡…………

* *
*

夜　　半

月光慢慢地邁進了玻璃窗，
屋內的一切都感到生命的歡狂。

月光慢慢地走到我的棹上，
棹上的文具都在那兒跳舞歌唱。
最先飛起的是那些雪白的信箋，
一片片都飛到了屋頂，
牠們一邊飛一邊說道：
『最該詛咒的是我的主人，
他從不曾在我的身上留下一些兒美麗的痕跡！』——
墨水瓶也噴泉一般地湧了出來：
『如果再不用我，我生命的力量已經無從發洩，
我要盡一夜的功夫把我的血液噴完，
明天，一個枯乾的瓶子，留給他看！』
鉛筆，毛筆同鋼筆，
都站起來像是跳舞的少女

—89—

這樣的主人就誤了我們的青春，
在他身邊我們唱不出一支迷人歌曲。』
——信封也在棹角上長嘘短嘆：
『我的綠衣裳已經變成了衰黃，
他從不曾把我送到那春風淡蕩的花園
去遊逛一趟！』——
最後他們都義憤塡胸，
把一本厚重的哲學推到地上：
『你這貓頭鷹一般，陰私的老人，
把我們的主人害得死氣沈沈！』——
…………………………

月光慢慢地越過我的棹上，
棹上的文具都那樣地跳舞歌唱。

我是怎樣地擔驚害怕，
月光不久啊就要走近我的床前——
快快地有塊厚重的烏雲吧，把牠遮住，
我心上也需要蓋上一層——沈悶的睡眠！

* *
*

晚　　步

我不知是什麼原故，在這樣春暖的風裏，
雙手爲什麼要揷在袋中，衣領也高高地翻起？

是爲了那輕輕的秋凉還浮在我的心頭，
可還是那深冬的寂寞長睡在我的心底？

霞是那樣地濃紅，爲什麼濃了又淡？
霧是那樣地凝聚，爲什麼聚了又散？
沉沉的夜色還沒有走來：牠們可眞是
錯把我的脚步聲認成那蒼茫的夜的長嘆？

在這靜靜的路上，我只有不停的思索——
『遠遠地一個行人』，是我思索出來的結果：
我抬頭，天空剩下了一朶無依無靠的流雲，
我再望那遠行人，却踽踽凉凉地仍然是我！

* *
*

—91—

花之朝

誰說那歡樂的日子是容易消逝，
就是這寂寞的歲月也何常爲我稍停——
一旦我將要在一個黑暗的地方長住，
朋友，請替我寫上，這樣的幾句碑銘：

『他也曾在花開的早晨寂寂地狂歡，
他也曾在花落的早晨寞寞地長嘆；
花却永久無恙地開落在人間，
在他的懷中並不曾帶走了一瓣。』

* *
*

月下歡歌

不要哀哀地訴苦了，歡樂吧，
美滿的圓月已經高高地懸在天空！
我無邊的希望都充滿了
在這無邊的月色當中。
『無邊的月色啊，
請你接受吧
我的感謝！』

我全身的細胞都在努力工作，
爲了她是永久地忽忙；
宇宙的萬象在我的面前輪轉，
沒有一處不是愛的力量。
『博大的上帝啊，
請你接受吧，
我的感謝！』

—93—

我『生』了；我顯示在她的面前的
既不是蒼蒼的白髮，也不是啼泣的嬰孩，
是和她同時代的青年，
肩上擔負着同時代的悲哀。
　　『父親同母親，
　　　請你們接受吧，
　　　　我的感謝！』

她不是熱帶的棕色的少女，
也不是西方的金髮的姑娘：
黃色的肌膚，黑色的眼珠，
我們哪，在同一的民族裏邊生長。
　　『中華的民族啊，
　　　請你接受吧，
　　　　我的感謝！』

我從母親的口中學會了朴厚的方言，
又從她的口中學到了音樂般的談話，
我大聲地唱出我的詩歌，
把這兩種聲音都在一塊兒溶化。
『祖國的語言啊，
請你接受吧，
我的感謝！』

溫暖的黃土把我栽培，
我的枝葉盡量地向着天空伸長，
我願在風雨裏開放着我的花朵，
在冬季的雪中忍受着我的苦創。
『溫帶的氣候啊，
請你接受吧，
我的感謝！』

我的靈魂是琴聲似地跳動，
我的脚步是江水一般地奔跑，
我向着一切歡呼，
我向着一切擁抱。
　　『宇宙的一切啊，
　　　請你接受吧，
　　　　我的感謝！』

*　　*
　*

暮春的花園

你願意嗎，我們一同
走進了那座花園？
在那兒只剩下了
黃色的蘡薁還沒有凋殘。

從杏花開到了芍藥，
從桃花落到了牡丹：
牠們享着日光的愛撫，
受着風雨的摧殘。

那時我却悄悄地在房裏
望着窗外的天氣，
暗自爲牠們担盡了悲歡：

如今牠們的繁榮都已消逝，
我們可能攀着殘了的花枝
談一談我那寂寞的春天？

* * *

你願意嗎，我們一同
走進了那座花園？
在那兒有一條曲徑，
石子鋪得是那樣地平坦。

我願拾揀些彩色的石子
在你輕倩的身邊；
我曾做過這樣的工作，
當我伴着母親走到田間。

那時我的天空是那樣地晴朗，
白雲流水都充滿了奇響；
從她死後，却只有黯淡的雲煙。

如今的雲煙又彷彿消散，
但童年的一切都已不見！
廣大的宇宙中，你在我的面前。

* *
*

你願意嗎，我們一同
走進了那座花園？
我也不必繫着領帶，
你也不必帶着項圈，——

讓春風吹進了我們的胸脯，
蕩蕩地拂着我們的心田，
在心田上我們靜靜地等候
Amor 跑到這里來遊玩。

我想，在你溫暖的懷裡，
比一切的花園都要美麗；
我的，却是沙漠一樣的枯乾。

我願多多地落些淚珠，
牠浸潤我的心田，像是甘露，
準備着Amor 的虹橋顯在天邊。

* *
*

—99—

你願意嗎，我們一同
走進了那座花園？
微風吹着水面的波紋，
致給我一些清新的語言。

我說，水流着我們的青春，
風拂着遠遠的秋天……
如果我在松蔭下談到了寒冬，
我們心頭可能同時地起了震顫？

我願從那震顫的瞬間裡復生，
把我的過去都投在湖中，
把湖水當作了 Lethe 的深淵。

我將捧着個最崇高的東西，
（是我靈魂日夜祈求的，）
在你的永久的面前。

* * *

『南方的夜』

我們靜靜地坐在湖濱，
聽燕子給我們講講南方的靜夜。
南方的靜夜已經被牠們帶來，
夜的蘆葦蒸發着濃鬱的情熱。——
　　我已經感到了南方的夜間的陶醉，
　　請你也嗅一嗅吧這蘆葦叢中的濃味。

你說大熊星總像是寒帶的白熊，
望去使你的全身都覺得悽冷。
這時的燕子輕輕地掠過水面，
零亂了滿湖的星影。——
　　請你看一看吧這湖中的星像，
　　南方的星夜便是這樣的景象。

—101—

你說，你疑心那邊的白果松
總彷彿樹上的積雪還沒有消融。
這時燕子飛上了一棵棕櫚，
唱出來一種熱烈的歌聲。——
　　請你聽一聽吧燕子的歌唱，
　　南方的林中便是這樣的景象。

終覺得我們不像是熱帶的人，
我們的胸中總是秋冬般的平寂。
燕子說，南方有一種珍奇的花朵，
經過二十年的寂寞才開一次。——
　　這時我胸中忽覺得有一朵花兒隱藏，
　　牠要在這靜夜裏火一樣地開放！

* * *

十字架

我們靜靜地坐在湖濱，
凝望着禮拜堂的尖塔，
望着牠沉在夕陽的光中，
映出來血紅的基督，
負着血紅的十字架。

我想我夢裡的基督
是一篇羅曼的牧歌；
你却把手兒一指，
『爲着愛，基督又流血了！』
你彷彿在這樣地訴說。

在我的生命中也沒有別的希望，
無非是一首樸素的牧歌：
夕陽也緋紅地把我們照映——
好在呀你並沒有注意這一層
並沒有把這必然的運命說破……

* *
*

秋

譯 H. Leuthold 詩

全宇宙都披上了悲哀的喪衣；
樹葉子渲染得是這樣地衰黄，
啊，我彷彿在我的心裡
感到了寒冷的冬日的蒼凉——

怎樣地凋亡啊，看這四圍的一切！
在這凋敗之際我却祈向穹蒼：
當我還未完成了一件美麗的工作，
上帝呀，請不要讓我死亡！

*　*
*

我的愛人

譯 Waclaw Rolicz-Lieder 詩

我的愛人的眼睛像是一個湖
有湖一般眼睛的是我的愛人。
愛人呀這是什麼原故?
如果你在遠方的曠野裡失迷地翹望
望見一片翠綠的海水在羣山的中央
　　便會說:
在這洪水中輕睡着我生命的一個段落。

我的愛人的身體是非常地潔白
有着潔白的身體的是我的愛人。
愛人呀這是什麼原故?
如果櫻桃樹上落下來如雪的花朵
你的目光沉溺于這樣嬌艷的顏色
　　便會說:
在這花中我凝視出我生命的一個段落。

—105—

我的愛人有一種迷人的微笑
有迷人的微笑的是我的愛人.
愛人呀這是什麼原故?
如果你把一種瓊漿斟滿了酒盞
這美酒把你的工作的心情攪亂
　　便會說:
在這酒漿中浮沫着我生命的一個段落.

我的愛人有着噴香的頭髮
有噴香頭髮的是我的愛人.
愛人呀這是什麼原故?
如果你在公園裡沙地上遊蕩
把橙子的芬芳吸入你的心房
　　便會說:
在這芬芳中浮動着我生命的一個段落.

我的愛人會一支消魂的歌曲
會那消魂歌曲的是我的愛人。
愛人呀這是什麼原故?
如果我們的歡悅的收穫時期過了
你聽見一縷歌聲從那寂寞的街道
　　便會說:
在這歌曲中嗚咽着我生命的一個段落。

我的愛人有一把土耳其的小刀
有把土耳其小刀的是我的愛人。
愛人呀這是什麼原故?
你若真愛我呀我就用牠鑄成了筆頭一個
如果你僧侶般地寫出來一些典雅的詩歌
　　便會說:
在這筆頭上滑過去我生命的一個段落。

* * *

—107—

生命的秋天

譯 Waclaw Rolicz-Lieder 詩

我愛那樣的人，在他高高的額上，
紋理地刻畫出生命的清秋，
他沉沉地負擔，深深地忍受，
沒有一點兒虛僞閃自他的明眸。

他深知，使誰歡欣，對誰詛咒，
在他的心中燃燒起熱火熊熊，
他又用淚珠兒把這些火燄澆滅，
他認識絕望的情懷同思慕的苦衷。

他能親切地理會旁人心中的
種種煩惱，他也是（回憶一般地）了解，
去敬重旁人靈魂的苦痛，
他伴着人家哭泣，他並不會自覺。

* *
*

一九二九，七，二十，付印
一九二九，八，二十，印成

實價四角五分

沉鐘叢刊目錄

1，	爐邊	陳煒謨著	實價五角
2，	昨日之歌	馮　至著	實價四角
3，	悲多汶傳	楊　晦譯	實價二角半
4，	不安定的靈魂	陳翔鶴著	實價七角半
5，	除夕及其他	楊　晦著	實價五角半
6，	北遊及其他	馮　至著	實價四角半
7，	英吉利散文選集	陳煒謨譯	即　印
8，	秋蟲	陳翔鶴著	即　印
9，	逸如女士	郝蔭潭著	即　印
10，	…………		

附註：自第一至第四四種係由北新書局印行。自第五種以後將次第由沉鐘社出版。